O RETORNO ETERNO

Rubem Alves

O retorno e terno

Capa | Fernando Cornacchia
Foto de capa | Rennato Testa
Diagramação | DPG Editora
Revisão | Lucélia C. Temple e Maria Rita Barbosa Frezzarin

Dados Internacionais de Catalogação na Publicação (CIP)
(Câmara Brasileira do Livro, SP, Brasil)

Alves, Rubem
O retorno e terno/Rubem Alves – 29ª ed. – Campinas, SP: Papirus, 2013.

ISBN 978-85-308-0909-6

1. Crônicas brasileiras I. Título.

13-01587 CDD-869.93

Índice para catálogo sistemático:

1. Crônicas: Literatura brasileira 869.93

As crônicas que compõem esta obra foram publicadas no jornal *Correio Popular*. Algumas delas encontram-se também em outras obras do autor.

29ª Edição – 2013
10ª Reimpressão – 2024
Tiragem: 350 exs.

Exceto no caso de citações, a grafia deste livro está atualizada segundo o Acordo Ortográfico da Língua Portuguesa adotado no Brasil a partir de 2009.

R. Barata Ribeiro, 79, sala 3 – CEP 13023-030 – Vila Itapura
Fone: (19) 3790-1300 – Campinas – São Paulo – Brasil
E-mail: editora@papirus.com.br – www.papirus.com.br

O que foi, é o que há de ser; e o que se fez,
isso se tornará a fazer: nada há, pois,
novo debaixo do sol...

Eclesiastes 1.9

Eis o momento! Começando nesta porta,
um longo e eterno caminho mergulha no
passado: atrás de nós está uma eternidade!
Não será verdade que todos os que
podem andar têm de já ter percorrido este
caminho?

F. Nietzsche

... e o fim de vossa viagem será chegar ao
lugar de onde partimos. E conhecê-lo
então pela primeira vez.

T.S. Eliot

Sumário

SOBRE O AMOR

SOBRE A SABEDORIA

SOBRE OS GOLPES

SOBRE O RISO E A ALEGRIA

SOBRE O AMOR

Vai, come com alegria o teu pão e bebe
gostosamente o teu vinho... Goza a vida
com a mulher que amas, todos os
dias da tua vida fugaz...
Eclesiastes 9.7,9

O amor é a coisa mais alegre.
O amor é a coisa mais triste.
O amor é a coisa que eu mais quero.
Adélia Prado

A AMIZADE

Lembrei-me dele e senti saudades... Tanto tempo que a gente não se vê! Dei-me conta, com uma intensidade incomum, da coisa rara que é a amizade. E, no entanto, é a coisa mais alegre que a vida nos dá. A beleza da poesia, da música, da natureza, as delícias da boa comida e da bebida perdem o gosto e ficam meio tristes quando não temos um amigo com quem compartilhá-las. Acho mesmo que tudo o que fazemos na vida pode se resumir nisto: a busca de um amigo, uma luta contra a solidão...

Lembrei-me de um trecho de Jean-Christophe, que li quando era jovem, e do qual nunca me esqueci. Romain Rolland descreve a primeira experiência com a amizade do seu herói adolescente. Já conhecera muitas pessoas nos curtos anos de sua vida. Mas o que experimentava naquele momento era diferente de tudo o que já sentira antes. O encontro acontecera de repente, mas era como se já tivessem sido amigos a vida inteira.

A experiência da amizade parece ter suas raízes fora do tempo, na eternidade. Um amigo é alguém com quem estivemos desde sempre. Pela primeira vez, estando com alguém, não sentia necessidade de falar. Bastava a alegria de estarem juntos, um ao lado do outro.

"Christophe voltou sozinho dentro da noite. Seu coração cantava 'Tenho um amigo, tenho um amigo!' Nada via. Nada ouvia. Não pensava em mais nada. Estava morto de sono e adormeceu assim que se deitou. Mas durante a noite foi acordado duas ou três vezes, como que por uma ideia fixa. Repetia para si mesmo: 'Tenho um amigo', e tornava a adormecer."

Jean-Christophe compreendera a essência da amizade. Amiga é aquela pessoa em cuja companhia não é preciso falar. Você tem aqui um teste para saber quantos amigos você tem. Se o silêncio entre vocês dois lhe causa ansiedade, se quando o assunto foge você se põe a procurar palavras para encher o vazio e manter a conversa animada, então a pessoa com quem você está não é amiga. Porque um amigo é alguém cuja presença procuramos não por causa daquilo que se vai fazer juntos, seja bater papo, comer, jogar ou transar. Até que tudo isso pode acontecer. Mas a diferença está em que, quando a pessoa não é amiga, terminado o alegre e animado programa, vêm o silêncio e o vazio – que são insuportáveis. Nesse momento o outro se transforma num incômodo que entulha o espaço e cuja despedida se espera com ansiedade.

Com o amigo é diferente. Não é preciso falar. Basta a alegria de estarem juntos, um ao lado do outro. Amigo é alguém cuja simples presença traz alegria independentemente do que se faça ou diga. A amizade anda por caminhos que não passam pelos programas.

Uma estória oriental conta de uma árvore solitária que se via no alto da montanha. Não tinha sido sempre assim. Em tempos passados a montanha estivera coberta de árvores maravilhosas, altas e esguias, que os lenhadores cortaram e venderam. Mas aquela árvore era torta, não podia ser transformada em tábuas. Inútil para os seus propósitos, os lenhadores a deixaram lá. Depois vieram os caçadores de essências em busca de madeiras perfumadas. Mas a árvore torta, por não ter cheiro algum, foi desprezada e lá ficou. Por ser inútil, sobreviveu.

Hoje ela está sozinha na montanha. Os viajantes se assentam sob a sua sombra e descansam.

Um amigo é como aquela árvore. Vive de sua inutilidade. Pode até ser útil eventualmente, mas não é isso que o torna um amigo. Sua inútil e fiel presença silenciosa torna a nossa solidão uma experiência de comunhão. Diante do amigo sabemos que não estamos sós. E alegria maior não pode existir.

AS RAZÕES DO AMOR

Os místicos e os apaixonados concordam em que o amor não tem razões. Ângelus Silésius, místico medieval, disse que ele é como a rosa: "A rosa não tem 'porquês'. Ela floresce porque floresce".

Drummond repetiu a mesma coisa no seu poema "As sem-razões do amor". É possível que ele tenha se inspirado nestes versos mesmo sem nunca os ter lido, pois as coisas do amor circulam com o vento. "Eu te amo porque te amo..." – sem razões... "Não precisas ser amante, e nem sempre saber sê-lo."

Meu amor independe do que me fazes. Não cresce do que me dás. Se fosse assim ele flutuaria ao sabor dos teus gestos. Teria razões e explicações. Se um dia teus gestos de amante me faltassem, ele morreria como a flor arrancada da terra.

"Amor é estado de graça e com amor não se paga." Nada mais falso do que o ditado popular que afirma que "amor com amor se paga". O amor não é regido pela lógica das trocas comerciais. Nada te devo. Nada me deves. Como a rosa que floresce porque floresce, eu te amo porque te amo.

"Amor é dado de graça, é semeado no vento, na cachoeira, no eclipse. Amor foge a dicionários e a regulamentos vários... Amor não se troca... Porque amor é amor a nada, feliz e forte em si mesmo..."

Drummond tinha de estar apaixonado ao escrever estes versos. Só os apaixonados acreditam que o amor seja assim, tão sem razões. Mas eu, talvez por não estar apaixonado (o que é uma pena...), suspeito que o coração tenha regulamentos e dicionários, e Pascal me apoiaria, pois foi ele quem disse que "o coração tem razões que a própria razão desconhece". Não é que faltem razões ao coração, mas que suas razões estão escritas numa língua que desconhecemos. Destas razões escritas em língua estranha o próprio Drummond tinha conhecimento e se perguntava: "Como decifrar pictogramas de há 10 mil anos se nem sei decifrar minha escrita interior? A verdade essencial é o desconhecido que me habita e a cada amanhecer me dá um soco.

O amor será isto: um soco que o desconhecido me dá?

Ao apaixonado a decifração desta língua está proibida, pois se ele a entender, o amor se irá. Como na história de Barba Azul: se a porta proibida for aberta, a felicidade estará perdida. Foi assim que o paraíso se perdeu: quando o amor – frágil bolha de sabão –, não contente com sua felicidade inconsciente, se deixou morder pelo desejo de saber. O amor não sabia que sua felicidade só pode existir na ignorância das suas razões. Kierkegaard comentava o absurdo de se pedir dos amantes explicações para o seu amor. A esta pergunta eles só possuem uma resposta: o silêncio. Mas que se lhes peça simplesmente falar sobre o seu amor – sem explicar. E eles falarão por dias, sem parar...

Mas – eu já disse – não estou apaixonado. Olho para o amor com olhos de suspeita, curiosos. Quero decifrar sua língua desconhecida. Procuro, ao contrário do Drummond, as cem razões do amor...

Vou a santo Agostinho, em busca de sua sabedoria. Releio as *Confissões*, texto de um velho que meditava sobre o amor sem estar apaixonado. Possivelmente aí se encontre a análise mais penetrante das razões do amor jamais escrita. E me defronto com a pergunta que nenhum apaixonado poderia jamais fazer: "Que é que eu amo quando amo o meu Deus?" Imaginem que um apaixonado fizesse essa pergunta à sua amada: "Que é que eu amo quando te amo?" Seria, talvez, o fim de uma estória de amor. Pois esta pergunta revela um segredo que nenhum amante pode suportar: que ao amar a amada o amante está amando uma outra coisa que não é ela. Nas palavras de Hermann Hesse, "o que amamos é sempre um símbolo". Daí, conclui ele, a impossibilidade de fixar o seu amor em qualquer coisa sobre a terra.

Variações sobre a impossível pergunta: Te amo, sim, mas não é bem a ti que eu amo. Amo uma outra coisa misteriosa, que não conheço, mas que me parece ver aflorar no teu rosto. Eu te amo porque no teu corpo um outro objeto se revela. Teu corpo é lagoa encantada onde reflexos nadam como peixes fugidios... Como Narciso, fico diante dele... "No fundo de tua luz marinha nadam meus olhos, à procura..." (Cecília Meireles). Por isto te amo, pelos peixes encantados...

Mas eles são escorregadios, os peixes. Fogem. Escapam. Escondem-se. Zombam de mim. Deslizam entre meus dedos. Eu te abraço para abraçar o que me foge. Ao te possuir alegro-me na ilusão de os possuir. Tu és o lugar onde me encontro com esta outra coisa que, por pura graça, sem razões, desceu sobre ti, como o Vento desceu sobre a Virgem Bendita. Mas, por ser graça, sem razões, da mesma forma como desceu poderá de novo partir. Se isto acontecer deixarei de te amar. E minha busca recomeçará de novo...

Esta é a dor que nenhum apaixonado suporta. A paixão se recusa a saber que o rosto da pessoa amada (presente) apenas sugere o obscuro objeto do desejo (ausente). A pessoa amada é metáfora de uma outra coisa. "O amor começa por uma metáfora", diz Milan Kundera. "Ou melhor: o amor começa no momento em que uma mulher se inscreve com uma palavra em nossa memória poética."

Temos agora a chave para compreender as razões do amor: o amor nasce, vive e morre pelo poder – delicado – da imagem poética que o amante pensou ver no rosto da amada...

A MADRASTA E O ESPELHO

A Branca de Neve é uma tonta, irritante na sua bobice. A figura que me comove por sua tragédia é a Madrasta. Se eu pudesse, mudava o nome da estória de *Branca de Neve e os sete anões* para a *A Madrasta e o espelho*. Branca de Neve é tonta e boba por não haver se olhado no espelho – se olhou, não percebeu o fascínio e o terror que moram nele. Se gosto mais da Madrasta é precisamente por isto, porque tenho longas conversas com o meu espelho – com os meus espelhos, pois são muitos...

Ah! Você acha que isso é bobagem, que espelhos são inofensivos objetos de vidro, frios e imóveis, que nada fazem além de refletir imagens. Pois é justo aí que está o seu abismo: em seu poder de refletir. Jorge Luis Borges também tem um terror de espelhos. Diz até que lhe produzem pesadelos, pois bastam dois espelhos opostos para construir um labirinto. Faça você mesmo a experiência: brinque com dois espelhos, um diante do outro, e veja o seu rosto se multiplicar em imagens infinitas.

Você nunca experimentou o susto de, num restaurante, numa casa, descobrir-se repentinamente, refletido num espelho, e ver-se como não gostaria, de um ângulo, de um jeito que lhe causa uma sensação de estranheza ou mesmo de vergonha? Sou assim? Edgar Allan Poe, segundo Borges, sentia a mesma coisa. E num trabalho que escreve sobre decoração de casas, ele diz que os espelhos devem ser colocados de tal forma que ninguém se veja neles refletido sem querer. Lugar certo para o espelho é no banheiro. Porque enquanto a gente vai andando na direção dele a gente tem tempo para se preparar, ficando então com a certeza de que somos nós que olhamos nele e não ele que nos observa.

O que me faz lembrar o relato de Gustavo Corção sobre uma experiência sua, acho que na rua do Ouvidor, no Rio. Olhou na vitrine de uma livraria e viu lá dentro um senhor de cabelos brancos, rosto muito familiar, que o fitava. Cumprimentou-o respeitosamente, tirando o chapéu com a mão direita. E o rosto familiar fez exatamente a mesma coisa, ao mesmo tempo, simetricamente, só que com a mão esquerda...

Os espelhos, segundo os mitos mais antigos, encontram-se ligados às origens do homem. Nas *Sagradas Escrituras* se diz que Deus criou o homem e a mulher como imagens de si mesmo, reflexos onde ele se poderia ver. E o mito de Narciso descreve a tragédia de um homem que se apaixonou por sua própria imagem, refletida na fonte. E como a imagem nunca podia se transformar em posse e desaparecia sempre que seus dedos tocavam a superfície da água, ele morreu de um amor impossível.

Os dois relatos se complementam. No primeiro, é o próprio Deus que deseja ver a sua imagem refletida... No segundo está dito que o que se busca, neste reflexo, é uma imagem que seja bela, pela qual possamos nos apaixonar. O mais profundo desejo do coração humano é isto: que sejamos belos.

Fernando Pessoa chega mesmo a dizer que ele queria se construir como uma obra de arte. E acrescenta: "Já que não posso ser obra de arte no corpo, que seja obra de arte na alma". Mesmo São Francisco e todos os santos, por mais espelhos de vidro que tenham quebrado, à moda da Madrasta, fizeram isto por amor a um outro espelho, divino, onde sua beleza escondida poderia brilhar. Por isto gosto da Madrasta. É nela que vejo a minha verdade refletida. Porque todos estamos à busca de um espelho que nos diga sempre: "Tu és o mais belo!".

Ah! Se o encontrássemos seríamos eternamente felizes. Quando, ao contrário, como aconteceu com a Madrasta, a bela imagem se metamorfoseia em imagem feia, viramos bruxas e feiticeiros do mal. Quebramos o espelho e o veneno transborda do corpo...

É assim que eu penso o amor. Amamos as pessoas não pela beleza que existe nelas, mas pela beleza nossa que nelas aparece refletida. O que é uma bela pessoa? É aquela em que nos vemos belos. Quando, ao contrário, o espelho encantado nos mostra uma imagem feia, vai-se o amor e o espelho ou é quebrado ou é colocado permanentemente num quarto de escuridão permanente. Não mais o queremos ver.

Narciso, eu penso, é o mito mais fundamental. Mais fundamental que Édipo. Narciso dá o tema fundamental. Édipo é uma variação, um desenvolvimento. A estória da Madrasta e do Espelho é uma combinação dos dois: primeiro, a relação de amor paradisíaco, Madrasta e espelho. O amor acontecia na voz do espelho que dizia: "És a mais linda". Depois, quando a relação de encantamento é quebrada pelo aparecimento de uma outra imagem, mais bela. E a Madrasta se vê, repentinamente, excluída do espelho. E fica malvada. Toda exclusão faz isto: desperta em nós uma imagem cruel e feia, adormecida, que toma conta do corpo...

Por isto que somos mendigos de olhares. Olhos são espelhos. Cada encontro é um pedido: "Dize-me, espelho meu, haverá no mundo alguém mais belo que eu?".

Por isto nos enfeitamos, por isto escrevemos, por isto convidamos os amigos para jantares, por isto vamos a alegres reuniões de amigos, por isto se fazem atos heroicos, por isto se escrevem poemas, por isto se fazem gestos: todos são pedidos de reconhecimento da nossa beleza.

Entenderam por que gosto mesmo é da figura trágica da Madrasta? Porque ela revela o drama do amor, a sua alegria e a sua decomposição. Somos todos a Madrasta, em busca de uma bela imagem...

AS MIL E UMA NOITES

Estou me entregando ao prazer ocioso de reler *As mil e uma noites*. O encantamento começa com o título que, nas palavras de Jorge Luis Borges, é um dos mais belos do mundo. Segundo ele, a sua beleza particular se deve ao fato de que a palavra mil é, para nós, quase sinônimo de infinito. "Falar em mil noites é falar em infinitas noites. E dizer *mil e uma noites* é acrescentar uma além do infinito."

As mil e uma noites são a estória de um amor – um amor que não acaba nunca. Não existe ali lugar para os versos imortais do Vinicius (tão belos que o próprio Diabo citou em sua polêmica com o Criador): "Que não seja eterno, posto que é chama, mas que seja infinito enquanto dure...". Estas são palavras de alguém que já sente o sopro do vento que dentro em pouco apagará a vela: declaração de amor que anuncia uma despedida.

Mas é isto que quem ama não aceita. Mesmo aqueles em quem a chama se apagou sonham em ouvir de alguém, um dia, as palavras que Heine escreveu para uma mulher: "Eu te amarei eternamente e ainda depois". É preciso que a chama não se apague nunca, mesmo que a vela vá se consumindo. A arte de amar é a arte de não deixar que a chama se apague. Não se deve deixar a luz dormir. É preciso se apressar em acordá-la (Bachelard). E, coisa curiosa: a mesma chama que o vento impetuoso apaga volta a se acender pela carícia do sopro suave...

As mil e uma noites são uma estória da luta entre o vento impetuoso e o sopro suave. Ela revela o segredo do amor que não se apaga nunca.

Um sultão, descobrindo-se traído pela esposa a quem amava perdidamente, toma uma decisão cruel. Não podia viver sem o amor de uma mulher. Mas também não podia suportar a possibilidade da traição. Resolve, então, que iria se casar com as moças mais belas dos seus domínios, mas depois da primeira noite de amor, mandaria decapitá-las. Assim o amor se renovaria a cada dia em todo o seu vigor de fogo impetuoso, sem nenhum sopro de infidelidade que pudesse apagá-lo. Espalham-se logo, pelo reino, as notícias das coisas terríveis que aconteciam no palácio real: as jovens desapareciam, logo depois da noite nupcial. Xerazade, filha do vizir, procura então o seu pai e lhe anuncia sua espantosa decisão: desejava tornar-se esposa do sultão. O pai, desesperado, lhe revela o triste destino que a aguardava, pois ele mesmo era quem cuidava das execuções. Mas a jovem se mantém irredutível.

A forma como o texto descreve a jovem Xerazade é reveladora. Quase nada diz sobre sua beleza. Faz silêncio total sobre o seu virtuosismo erótico. Mas conta que ela lera livros de toda espécie, que havia memorizado grande quantidade de poemas, e narrativas, que decorara os provérbios populares e as sentenças dos filósofos.

E Xerazade se casa com o sultão. Realizados os atos de amor físico que acontecem nas noites de núpcias, quando o fogo do amor carnal já se esgotara no corpo do esposo, quando só restava esperar o raiar do dia para que a jovem fosse sacrificada, ela começa a falar. Conta estórias. Suas palavras penetram os ouvidos vaginais do sultão. Suavemente, como música. O ouvido é feminino, vazio que espera e acolhe, que se permite ser penetrado. A fala é masculina, algo que cresce e penetra nos vazios da alma. Segundo antiquíssima tradição, foi assim que o deus humano foi concebido: pelo sopro poético do Verbo divino, penetrando os ouvidos encantados e acolhedores de uma Virgem.

O corpo é um lugar maravilhoso de delícias. Mas Xerazade sabia que todo amor construído sobre as delícias do corpo tem vida breve. A chama se apaga tão logo o corpo se tenha esvaziado do seu fogo. O seu triste destino é ser decapitado pela madrugada: não é eterno, posto que é chama. E então, quando as chamas dos corpos já se haviam apagado, Xerazade sopra suavemente. Fala. Erotiza os vazios adormecidos do sultão. Acorda o mundo mágico da fantasia. Cada estória contém uma outra, dentro de si, infinitamente. Não há um orgasmo que ponha fim ao desejo. E ela lhe parece bela, como nenhuma outra. Porque uma pessoa é bela, não pela beleza dela, mas pela beleza nossa que se reflete nela...

Conta a estória que o sultão, encantado pelas estórias de Xerazade, foi adiando a execução, por mil e uma noites, eternamente e um dia mais.

Não se trata de uma estória de amor, entre outras. É, ao contrário, a estória do nascimento e da vida do amor. O amor vive neste sutil fio de conversação, balançando-se entre a boca e o ouvido. A Sônia Braga, ao final do documentário de celebração dos 60 anos do Tom Jobim, disse que o Tom era o homem que toda mulher gostaria de ter. E explicou: "Porque ele é masculino e feminino ao mesmo tempo...". O segredo do amor é a androgenia: somos todos, homens e mulheres, masculinos e femininos ao mesmo tempo. É preciso saber ouvir. Acolher. Deixar que o outro entre dentro da gente. Ouvir em silêncio. Sem expulsá-lo por meio de argumentos e contrarrazões. Nada mais fatal contra o amor que a resposta rápida. Alfange que decapita. Há pessoas muito velhas cujos ouvidos ainda são virginais: nunca foram penetrados. E é preciso saber falar. Há certas falas que são um estupro. Somente sabem falar os que sabem fazer silêncio e ouvir. E, sobretudo, os que se dedicam à difícil arte de adivinhar: adivinhar os mundos adormecidos que habitam os vazios do outro.

As mil e uma noites são a estória de cada um. Em cada um mora um sultão. Em cada um mora uma Xerazade. Aqueles que se dedicam à sutil e deliciosa arte de fazer amor com a boca e o ouvido (estes órgãos sexuais que nunca vi mencionados nos tratados de educação sexual...) podem ter a esperança de que as madrugadas não terminarão com o vento que apaga a vela, mas com o sopro que a faz reacender-se.

AS VIÚVAS

Com gesto de mão ela me tirou da poltrona onde eu estava assentado e me chamou para junto da janela da frente da casa. Os ramos e a folhagem de uma trepadeira cobriam o espaço aberto da janela, fazendo dela um lugar ideal para quem quer observar sem ser visto. E ela apontou para três modestas casas, do outro lado da rua.

"São as casas das viúvas", ela explicou. Não fazia muito tempo a morte passara por lá, levando os três maridos. Agora elas estavam sós, as três velhinhas, nas casas vazias. Os vizinhos se compadeciam e imaginavam que elas deviam se sentir como aquelas mulheres sicilianas que, mortos os maridos, se cobrem com sinistras roupas negras, pelo resto dos seus dias, para que todo mundo soubesse que sua vida havia acabado. Se continuavam a viver era porque a religião não lhes permitia pôr um fim à própria vida. Mas bem que gostariam que a morte chegasse logo...

Eu ficava aqui na janela, olhando para as casas fechadas, imaginando aquelas pobres criaturas lá dentro, sozinhas, tendo apenas a tristeza e a saudade como companhia... Foi então que comecei a notar sinais de que coisas estranhas estavam acontecendo naquelas três casas e naquelas três velhinhas. Aconteceu depois de passado aquele período em que, por medo do morto, todo mundo se sente na obrigação de fazer cara de tristeza e de só falar sobre os últimos momentos do falecido. Aconteceu depois que a vida foi voltando ao seu normal e a conversa ficou leve de novo... De repente – até parece que foi coisa de magia, pois aconteceu ao mesmo tempo –, as três velhinhas, que todo mundo imaginava mortas, começaram a florescer. E ficaram bonitas como nunca tinham sido quando seus maridos eram vivos!

Uma delas, que só usava birote, cortou e pintou o cabelo, e até mesmo começou a usar um batonzinho. Com certeza voltou a conversar com um velho namorado, esquecido, abandonado, pendurado, calado, o espelho, que com a morte do marido reaprendeu a falar: "Não é mais preciso que você seja feia. Ele já se foi. Você está livre para ser bonita como sempre foi...".

A segunda sempre varria a calçada de chinelo, meia soquete e roupão. Começou a aparecer na rua com uns vestidos de cores vivas que nunca usara antes. De onde os teria tirado? De algum baú onde permaneceram trancados com bolas de naftalinas, à espera do grande dia? Ou teriam existido só no baú dos sonhos proibidos, que a presença do marido não deixava realizar, e que agora voavam livres como borboletas que se libertam dos seus casulos?

A terceira, de voz grave e sem sorrisos, falava por monossílabos, e poucos eram os que se lembravam de já ter visto um sorriso na sua boca. Pois, para surpresa de toda a vizinhança, ela começou a cantar... Cantou velhas canções de amor, de outros tempos – certamente dos tempos em que ela se sentia como namorada...

A ressurreição das velhinhas me fez sorrir de alegria. Mas logo me dei conta do trágico da vida humana: foi preciso que a morte fizesse o seu trabalho para que a vida brotasse de novo. Lembrei-me então de um terrível verso do Álvaro de Campos: "Talvez seja pior para os outros existires que morreres... Talvez peses mais durando que deixando de durar...".

É claro que os inocentes maridos tudo isso ignoravam e nada sabiam da vida que jazia sepultada sob o peso da sua presença. Se lhes fosse dado revisitar os seus lugares, com certeza teriam dificuldades em reconhecer aquelas com quem haviam vivido (ou morrido) todos os seus anos. De qualquer maneira, teria sido tarde demais... Que pena que, às vezes, a vida tenha de esperar tanto tempo para renascer da sepultura! Que pena que, às vezes, a vida só tenha uma chance depois que a morte faz o seu serviço...

"... ATÉ QUE A MORTE..."

De vez em quando o diabo me aparece e temos longas conversas. Em nada se parece com o que dizem dele: rabo, chifres, patas de bode e cheiro de enxofre. Cavalheiro de voz mansa e racional, bem vestido, apreciador de desodorantes finos, me surpreende sempre pela lógica dos seus argumentos. Nada de futilidades. Só fala sobre o essencial, estilo que aprendeu com Deus, nos anos em que foi seu discípulo. Percebi que era ele quando notei que trazia na sua mão direita o martelo e, na esquerda, a bigorna. Pois esta é a sua missão: martelar as certezas, ferro contra ferro, para ver se sobrevivem ao teste.

Já se preparava para dar a primeira martelada quando o interrompi:

– Que é isto que você vai bater? Acho que vai se partir em mil pedaços...

A coisa que estava sobre a bigorna me parecia feita de louça, um bibelô delicado e frágil, e lamentei que o diabo fosse esmigalhá-la.

– Não tenho outra alternativa – ele me respondeu. – É parte de uma aposta que fiz com Deus. Este bibelô delicado é o casamento. E você pode estar certo: não resistirá ao ferro do meu martelo!

Fiquei indignado que ele estivesse maquinando coisa tão perversa sobre coisa tão sublime, e passei ao ataque.

– Não é à toa que os religiosos dizem que você é o antideus. Deus junta. Você separa! A sua bigorna já destruiu muitos lares!

Ele não tinha pressa. Descansou o seu martelo e me falou com voz imperturbada:

– Já estou acostumado às calúnias. Mas não existe coisa alguma mais distante da verdade. Se há uma coisa que eu desejo é um casamento duradouro, até que a morte os separe. Se ponho o casamento na bigorna é justamente para provar que a receita do Criador não funciona. A minha é muito mais eficaz. O que digo pode parecer estranho, mas você me dará razão se ouvir a minha história.

Como o meu silêncio indicasse minha disposição em ouvi-lo, ele continuou a falar:

– Todo mundo sabe que, no início, eu era a mão direita de Deus. Estávamos de acordo em tudo. Ele mandava, eu fazia. Foi por causa do casamento que nos separamos. Até então trabalhávamos juntos. Quando Deus disse que não era bom que o homem estivesse só, e melhor seria que ele tivesse uma mulher, eu concordei. Quando Deus disse que esta união teria de ser sem fim, até a morte, eu aplaudi. Mas aí apareceu o pomo da discórdia. Para colar o homem na mulher, Deus foi buscar uma bisnaguinha de amor. Protestei. Argumentei:

– Senhor! Amor é coisa muito fraca, de duração efêmera! Quem é colado com o amor logo se separa!

Citei o poeta: “Que não seja imortal, posto que é chama, mas que seja infinito enquanto dure!”. Amor é chama tênue, fogo de palha. Não pode ser imortal. No começo, aquele entusiasmo. Mas logo se apaga. Chama de vela, fraquinha, que se vai com qualquer ventinho... Amor é bibelô de louça. Todos os amantes sabem disso, mesmo os mais apaixonados. E não é por isto que sentem ciúmes? Ciúme é a consciência dolorosa de que o objeto amado não é posse: ele pode voar a qualquer momento. Por isto o amor é doloroso, está cheio de incertezas. Discreto tocar de dedos, suave encontro de olhares: coisa deliciosa, sem dúvida. E é por isso mesmo, por ser tão discreto, por ser tão suave, que o amor se recusa a segurar. Amar é ter um pássaro pousado no dedo. Quem tem um pássaro pousado no dedo sabe que, a qualquer momento, ele pode voar. Como construir uma união duradoura com cola tão fraquinha? Por isto os casais se separam, por causa do amor, pela ilusão de um outro amor. Qualquer tolo sabe que o pássaro só fica se estiver na gaiola. O amor é cola fraca para produzir um casamento duradouro porque no amor vive o maior inimigo da estabilidade: a liberdade. É preciso que o pássaro aprenda que é inútil bater as asas. Um casamento duradouro é aquele em que o homem e a mulher perderam as ilusões do amor.

– Foi aí que nos separamos – ele continuou. – Não porque discordássemos que o casamento deveria ser eterno. É isto que eu quero. Nos separamos porque não estávamos de acordo sobre o que é que junta um homem e uma mulher, eternamente. Deus é um romântico. Eu sou um realista.

Perplexo, lhe perguntei então:

– Qual foi então a sua proposta? Que cola deveria ser usada?

Ele sorriu, confiante, e respondeu:

– O ódio. Enganam-se aqueles que dizem que o ódio separa. A verdade é que o ódio junta as pessoas. Como disse um jagunço do Guimarães Rosa, quem odeia o outro, leva o outro para a cama. Diferente do fogo da vela, o fogo do ódio é como um vulcão. Não se apaga nunca. Por fora pode parecer adormecido. No fundo, as chamas crepitam. A diferença entre os dois? O amor, por causa da liberdade, abre a mão e deixa o outro ir. No amor existe a permanente possibilidade de separação. Mas o ódio segura. Não tenha dúvidas. Os casamentos mais sólidos são baseados no ódio. E sabe por que o ódio não deixa ir? Porque ele não suporta a fantasia do outro, voando livre, feliz. O ódio constrói gaiolas, e ali dentro ficam os dois, moendo-se mutuamente numa máquina de moer carne que gira sem parar, cada um se nutrindo da infelicidade que pode causar no outro. As pessoas ficam juntas para se torturarem. Não menospreze o poder do sadismo. Ah! A suprema felicidade de fazer o outro infeliz!

Com estas palavras ele tomou do seu martelo e voltou ao seu trabalho:

– Tenho de provar que eu, e não Deus, sou quem sabe a receita do casamento que só a morte pode separar.

Eu me persignei três vezes e compreendi que o inferno está mais perto do que eu pensava.

A CENA

Entre os poucos livros que tenho ao alcance da mão, na minha estante, está a estória do amor de Tomas e Tereza, que Milan Kundera conta em *A insustentável leveza do ser*. Tomas tinha tido muitas amantes. De todas as suas aventuras amorosas "sua memória só registrava o estreito e íngreme caminho da conquista sexual. Todo o resto (com um cuidado quase pedante) eliminara da memória." "Aventuras amorosas": Tomas, na realidade, nunca estivera apaixonado. O seu horror ao amor era tal que nunca permitia que uma mulher dormisse no seu apartamento. A ideia de acordar pela manhã ao lado de qualquer mulher o incomodava tanto que, terminada a orgia sexual, Tomas encontrava sempre uma forma de levar a parceira de volta à casa. Ele se parecia com o sultão d'*As mil e uma noites*: depois de uma noite de prazeres carnais, a amante era decapitada... Era assim que Tomas se via, como animal caçador que abandona a caça tão logo sua fome tivesse sido satisfeita.

Mas com Tereza tudo tinha sido diferente. Não que Tereza tivesse algum traço especial, que a distinguisse das outras. Por mais que a examinasse, nada encontrava nela que pudesse ser apontado como a razão para o seu amor. E, no entanto, sem razões, o fato era que ele estava apaixonado por ela.

Sua aventura com Tereza tinha começado exatamente onde terminavam suas aventuras com as outras mulheres. Ela se desenrolara do outro lado do imperativo que o levava à conquista. Conhecera Tereza acidentalmente num bar de cidadezinha do interior. Dissera-lhe, quase como uma brincadeira, que se fosse à capital que o procurasse. E lhe dera o seu endereço. Tereza foi e o procurou. Chegara à capital doente e não sabia para onde ir. Foi aí que a história de amor começou. Ela estava ardendo em febre, adormecera no sofá da sala, e ele não pudera levá-la de volta como fazia com as outras. Para onde a levaria? Ajoelhado à sua cabeceira "ocorrera-lhe a ideia de que ela viera para ele numa cesta sobre as águas".

Agora, a distância, pensava sobre as razões do seu amor e fazia, sem que disso se desse conta, a insólita pergunta de santo Agostinho: "Que é que amo quando amo Tereza?" Tudo se tornava claro de repente. Foi pela beleza desta cena que ele se apaixonara: Tereza, criança amedrontada, chegando aos seus braços com um pedido de socorro. "A mulher não resiste à voz do que chama sua alma amedrontada; o homem não resiste à mulher cuja alma se torna atenta à sua voz."

"Parece que existe no cérebro uma zona específica, que poderíamos chamar de memória poética, que registra o que nos encantou, o que nos comoveu, o que dá beleza à nossa vida. Desde que Tomas conhecera Tereza, nenhuma outra mulher tinha o direito de deixar a marca, por efêmera que fosse, nessa zona do seu cérebro."

Agora, na sua memória poética, aquela cena permanecia imóvel, imperturbável, fora do tempo. Era uma parte da sua alma. Não morreria jamais. Vinicius de Moraes percebeu que o amor pela mulher não é eterno, posto que é chama. Mas ele não percebeu que o amor pela bela cena permanece para sempre, pois "o que a memória amou fica eterno".

"Que é que amo quando te amo?" Tomas amava Tereza porque amava antes uma outra coisa: aquela cena bela e comovente que repentinamente brilhara em sua imaginação. A mulher que ele amava era a Tereza daquela cena: a criança amedrontada que lhe chegava numa cesta sobre as águas. Tereza poderia abandoná-lo, deteriorar-se ou morrer. Mas a cena permaneceria inalterada, suspensa na memória poética, como objeto de amor.

Amamos a bela cena antes de amar a pessoa. Por isto que santo Agostinho dizia, em suas *Confissões*: "Antes que te conhecesse eu já te amava." Somos amantes muito antes de nos encontrarmos com a mulher ou com o homem que será o objeto do nosso amor. Somos como a criancinha que já ama o seio mesmo antes do primeiro encontro. Sua memória poética sabe que ele existe.

A alma é uma coleção de belos quadros adormecidos, os seus rostos envolvidos pela sombra. Sua beleza é triste e nostálgica porque, sendo moradores da alma, sonhos, eles não existem do lado de fora. Vez por outra, entretanto, defrontamo-nos com um rosto (ou será apenas uma voz, ou uma maneira de olhar, ou um jeito da mão...) que sem razões, faz a bela cena acordar. E somos possuídos pela certeza de que este rosto que os olhos contemplam é o mesmo que, no quadro, está escondido pela sombra. O corpo estremece. Está apaixonado.

Acontece, entretanto, que não existe coisa alguma que seja do tamanho do nosso amor. A nossa fome de beleza é grande demais. Neruda dizia que ele seria capaz de devorar o universo inteiro. Nas palavras da Adélia Prado, "para o desejo do meu coração o mar é uma gota". E o amor se revela então como a coisa mais triste. Cedo ou tarde descobrirá que o rosto não é aquele. E a bela cena retornará à sua condição de sonho impossível da alma. E só restará a ela alimentar-se da nostalgia que rosto algum poderá satisfazer...

ENTRE DOIS AMORES

O seu coração estava dividido entre dois amores. De um lado, um velho amor que se desfazia e do qual, agora, se despedia. Tinha estado ligado àquela mulher por anos de afeto manso e tranquilo, de amizade real e sincera. Coisa alguma poderia negar este fato. Durante este tempo, ele se sentira como alguém que caminha por uma planície colorida, sem montanhas e abismos, o ar claro e sem brumas, sabendo exatamente o que o esperava. Seu amor havia alcançado aquela condição de certeza sem surpresas, livre dos sofrimentos do ciúme e das dúvidas que são o inferno dos apaixonados. E era isto que ele deixava para trás. E por isto sofria.

Encontrara uma outra mulher cuja imagem, por razões que ele não podia compreender, despertara das cavernas da sua memória uma outra cena cheia de mistérios, de perfumes exóticos, de penumbras eróticas, onde crescia o fruto dourado da vida. E ali, nesta nova cena que se refletia nos olhos daquela mulher, ele se via como um homem diferente, de corpo jovem dotado de asas, pronto a voar pelo desconhecido, em nada semelhante ao ser doméstico ruminante que morava na cena do seu primeiro amor.

Apaixonara-se por ela. Apaixonara-se pela bela cena que via como aura mágica, em torno daquele rosto. Apaixonara-se pela sua própria imagem, refletida naquele olhar. Queria tê-la para poder ter-se deste modo intenso que nunca antes experimentara.

Era preciso dizer adeus. Deixar para trás a antiga companheira fiel, e a cena pálida, descolorida e monótona que aparecia em sua aura cansada. Assim são os velhos amores: fiéis e cansados...

Mas a ideia de magoá-la o horrorizava. Chegar para ela e simplesmente dizer: "Estou apaixonado por outra mulher. Vou-me embora..." – isto seria uma grosseria que ele nunca se perdoaria. Queria poupar-lhe a dor de ver-se deixada só, na plataforma da estação, enquanto ele partia.

A dor de quem fica é sempre muito maior. Parece-se com a dor após o sepultamento, quando se volta para a casa, e o espaço se enche com a presença de uma ausência. Na verdade a dor da partida é maior que a dor da morte. Pois o morto se foi contra a vontade. Partiu me amando. Partiu triste por me deixar. Nenhuma alegria o espera. Por isto os pensamentos de quem ficou descansam tranquilos, sem serem perturbados por fantasias dos novos amores e prazeres à espera do que morreu. Pois nada o aguarda.

A morte pode ser a eternalização do amor. A morte fixa a bela cena, enquanto a partida destrói a bela cena. O apaixonado sofreria menos com a morte da pessoa amada que com a sua partida para um novo amor. Quem quiser entender as razões dos crimes de amor terá de levar isto em consideração. Quem mata por amor é como um fotógrafo que deseja eternizar a imagem amada na bela cena. Não era isto que Cassiano Ricardo sugeria no seu poema "Você e o seu retrato"? Ele pergunta:

Por que tenho saudade
de você, no retrato,
ainda que o mais recente?

E por que um simples retrato,
mais que você, me comove,
se você mesma está presente?

E depois de sugerir várias respostas ele faz a seguinte afirmação: "Talvez porque, no retrato, você está imóvel, sem respiração...".

Você, viva, ingrata, é a permanente possibilidade da surpresa, do gesto que irá destruir a beleza. Mas, no retrato, você fica imóvel. Transforma-se em quadro. Quem mata por amor é um fotógrafo (cruel) que imobiliza a bela cena. E assim a coloca na parede, como objeto de saudade e devoção, para sempre. Bem dizia Roland Barthes que a única coisa que se encontra fixada na fotografia, qualquer fotografia, é a morte.

Sim, o que fazer? Como partir sem fazer sofrer demais uma pessoa boa, por quem se tinha um afeto sincero? Por vezes uma mentira é o melhor caminho. Há verdades cruéis e mentiras bondosas. Na encruzilhada ética entre a verdade e a bondade, que a bondade triunfe.

Imaginou então uma mentira. Iria dizer que estava em dúvida sobre se ela realmente o amava. Que por vezes ele a observava com o olhar perdido, e que imaginava seus pensamentos distantes, andando por outros amores. Que, inclusive, durante o sono, ela dissera repetidas vezes o nome de um homem (Pobrezinha! Não teria formas de contestá-lo. Pois estava dormindo...). Assim, ele queria que os dois se dessem um tempo. Que ficassem longe, provisoriamente, a fim de que os sentimentos pudessem ficar mais claros. A distância é um excelente remédio para as confusões do amor. E assim ele fez.

Ela ouviu suas alegações tranquilamente, sem sobressaltos aparentes. Terminada a sua fala, quando ele se preparava para ouvir as contra-argumentações que deveriam se seguir, o que ele ouviu foi outra coisa:

– Sabe? Cada vez mais me surpreende a sua sensibilidade. Como foi que você percebeu? Fiz tudo para esconder meus sentimentos de você! Eu não queria magoá-lo! Mas agora que você já sabe, é bom assumir a nossa verdade. De fato, há um outro. Chegou a hora de dizer adeus...

O que aconteceu naquele instante ele nunca pôde compreender. Pois aquelas palavras eram tudo de que precisava. Estava livre para se entregar sem culpas a sua nova paixão. Mas a única coisa que ele sentiu foi a dor imensa de uma paixão que repentinamente explodia por aquela mulher que lhe dizia adeus...

E ele se viu solitário e triste, na plataforma vazia da estação, enquanto ela partia. Só lhe restava voltar para a casa vazia, onde ninguém o esperava...

Como eu já disse: não é a pessoa que amamos; é a cena.

CARTAS DE AMOR

Leio e releio o poema de Álvaro de Campos. Oscilo. Não sei se devo acreditar ou duvidar. Se acredito, duvido. Duvido porque acredito. Pois foi ele mesmo quem disse – ou melhor, o seu outro, o Fernando Pessoa – que ele era um fingidor. "Todas as cartas de amor são ridículas. Não seriam cartas de amor se não fossem ridículas..."

Tenho no meu escritório a reprodução de uma das telas mais delicadas que conheço, *Mulher de azul lendo uma carta*, de Johannes Vermeer (1632-1675). Uma mulher, de pé, lê uma carta. O seu rosto está iluminado pela luz da janela. Seus olhos leem o que está escrito naquela folha de papel que suas mãos seguram, a boca ligeiramente entreaberta, quase num sorriso. De tão absorta, ela nem se dá conta da cadeira, ao seu lado. Lê de pé. Penso ser capaz de reconstituir os momentos que antecedem este que o pintor fixou. Pancadas na porta interromperam as rotinas domésticas que a ocupavam. Ela vai abrir e lá estava o carteiro, com uma carta na mão. Pela simples leitura do seu nome, no envelope, ela identifica o remetente. Ela toma a carta e, com este gesto, toca uma mão muito distante. Para isto se escrevem as cartas de amor. Não para dar notícias, não para contar nada, não para repetir as coisas por demais sabidas, mas para que mãos separadas se toquem, ao tocarem a mesma folha de papel. Barthes cita estas palavras de Goethe: "Por que me vejo novamente compelido a escrever? Não é preciso, querida, fazer pergunta tão evidente, porque, na verdade, nada tenho para te dizer. Entretanto, tuas mãos queridas receberão este papel...".

Volto ao Álvaro de Campos. Será esta a razão do ridículo das cartas de amor – o descompasso entre o que elas dizem e aquilo que elas realmente querem fazer? Pois o propósito explícito de uma carta é dar notícias, e é por isto que elas são feitas de palavras. Mas o que elas realmente desejam realizar está sempre antes e depois da palavra escrita: elas querem realizar aquilo que a separação proíbe: o abraço. Quem quer que tente entender uma carta de amor pela análise da escritura estará sempre fora de lugar, pois o que ela contém é o que não está ali, o que está ausente. Qualquer carta de amor, não importa o que se encontre nela escrito, só fala do desejo, a dor da ausência, a nostalgia pelo reencontro.

Aquela carta fez tudo parar. A mulher fecha a porta e caminha pela casa sem nada ver, buscando uma coisa apenas, a luz, o lugar onde as palavras ficarão luminosas. Que lhe importa a cadeira? Esqueceu-se de que está grávida. Seus olhos caminham pelas palavras que saíram das mesmas mãos que a abraçaram. Seu corpo está suspenso naquele momento mágico de carinho impossível que aquele pequeno pedaço de papel abriu no tempo do seu cotidiano.

Uma carta de amor é um papel que liga duas solidões. A mulher está só. Se há outras pessoas na casa, ela as deixou. Bem pode ser que as coisas que estão nela escritas não sejam nenhum segredo, que possam ser contadas a todos. Mas, para que a carta seja de amor, ela tem de ser lida em solidão. Como se o amante estivesse dizendo: "Escrevo para que você fique sozinha...". É este ato de leitura solitária que estabelece a cumplicidade. Pois foi da solidão que a carta nasceu. A carta de amor é o objeto que o amante faz para tornar suportável o seu abandono.

Olho para o céu. Vejo a Alfa Centauro. Os astrônomos me dizem que a estrela que agora vejo é a estrela que foi, há dois anos. Pois foi este o tempo que sua luz levou para chegar até os meus olhos. O que eu vejo é o que não mais existe. E será inútil que eu me pergunte: "Como será ela agora? Existirá ainda?" Respostas a estas perguntas eu só vou conseguir daqui a dois anos, quando a sua luz chegar até mim. A sua luz está sempre atrasada. Vejo sempre aquilo que já foi... Nisto as cartas se parecem com as estrelas. A carta que a mulher tem nas mãos, que marca o seu momento de solidão, pertence a um momento que não existe mais. Ela nada diz sobre o presente do amante distante. Daí a sua dor. O amante que escreve alonga os seus braços para um momento que ainda não existe. A amante que lê alonga os seus braços para um momento que não mais existe. A carta de amor é um abraçar do vazio...

"Ainda bem que o telefone existe", retrucarão os namorados modernos, que não mais têm de viver o amor no espaço das ausências. Engano. Um telefonema não é uma carta falada. Pois lhe falta o essencial: o silêncio da solidão, a calma da caneta pousada sobre a mesa que espera e escolhe pensamentos e palavras. O telefone põe a solidão a perder. Num telefonema a gente nunca diz aquilo que se diria numa carta. Por exemplo: "Eu ia andando pela rua quando, de repente, vi um ipê-rosa florido que me fez lembrar aquela vez...". Ou: "Relendo os poemas de Neruda encontrei este que, imagino, você gostará de ler...".

A diferença entre a carta e o telefone é simples. O telefone é impositivo. A conversa tem de acontecer naquele momento. Falta-lhe o ingrediente essencial da palavra que é dita sem esperar resposta. E, uma vez terminado, os dois amantes estão de mãos vazias.

Mas a mulher tem nas mãos uma carta. A carta é um objeto. Se não tivesse podido recolher-se à sua solidão, ela poderia tê-la guardado no bolso, na deliciosa espera do momento oportuno. O telefonema não pode esperar. A carta é paciente. Guarda as suas palavras. E, depois de lida, poderá ser relida. Ou simplesmente acariciada. Uma carta contra o rosto – poderá haver coisa mais terna? Uma carta é mais que uma mensagem. Mesmo antes de ser lida, ainda dentro do envelope fechado, tem a qualidade de um sacramento: presença sensível de uma felicidade invisível...

Estes pensamentos me vieram depois de ler as cartas de um jovem cientista, Albert Einstein, à sua amada, Mileva Maric'. Foram elas que me fizeram ir ao poema do Álvaro de Campos: ridículas. Todas as cartas de amor são ridículas. Acho que os editores pensaram o mesmo. E como desculpa para o seu gesto indiscreto de tornar público o ridículo que era segredo de dois amantes, escreveram uma longa e erudita introdução que transformou as ridículas cartas de amor em documentos da história da ciência. Valem porque, misturadas ao ridículo de que os amantes se alimentam, se encontram pistas que dão aos historiadores as chaves para a compreensão das "fontes do desenvolvimento emocional e intelectual dos correspondentes". Não sabendo o que fazer com o amor (ridículo), colocaram-nas na arqueologia da ciência.

Foi então que o quadro de Vermeer me fez ver a cena que as cartas escondem. E a mulher com a carta na mão e uma criança na barriga? Ela bem que poderia ser Mileva, grávida de uma filha ilegítima, que foi dada para adoção, e sobre quem nada se sabe. A criança foi dada. Mas as cartas foram guardadas. E que razões poderia ter uma pessoa para guardar cartas ridículas? O seu rosto absorto e os lábios entreabertos nos dão a resposta: para aqueles que amam as ridículas cartas de amor são sempre sublimes.

Volto ao poema do Álvaro de Campos e encontro lá o que faltava para fechar a cena:

Afinal,
só as criaturas que nunca escreveram cartas de amor
são ridículas.

A DOENÇA SEM CURA

Preferiria ser acordado pelo canto de um galo. Porque cantos de galos são mais que cantos de galos. Cantos de galos são lugares onde moram universos inteiros, cenários e tempos que podem ser reconhecidos por aqueles que em algum tempo do passado moraram neles. Galos são arautos de um mundo. Seria bom ouvi-los de novo, pois então eu voltaria àqueles mundos onde vivi, e que agora moram infinitamente longe, no passado. Ao invés dos galos, são os bem-te-vis que me acordam. Da árvore do meu quintal, eles anunciam o começo de um novo dia. E eu me admiro do imenso acordo que existe neles. Todos iguais. A começar dos uniformes. Como se fossem um partido onde não existem dissidências. Nenhum deseja ser diferente do que é. E a julgar pela convicta repetição do mesmo refrão, "bem-te-vi", parece que todos têm as mesmas ideias. Nunca soube de algum que compusesse uma partitura diferente. Estão contentes. Por séculos, milênios, têm estado cantando a mesma coisa sem dela se cansar. Iguais por dentro e por fora. O que me faz supor que devam ser muito amigos uns dos outros, pois quem assim está de acordo só pode ser amigo.

A mesma admiração me causam os meus peixes. Por muitos meses eles têm vivido dentro do mesmo aquário. Se eu fosse um deles, creio que já há muito teria enlouquecido de claustrofobia. Pois o aquário é um mundo sem alternativas. Não há saídas. Sempre as mesmas coisas. No entanto (o que pode ser um equívoco de minha parte), eles parecem contentes. Contrariando a máxima sartriana de que o inferno é o outro, compartilham o mesmo espaço limitado, sem que haja manifestações visíveis seja de batalhas, seja de loucuras. Como os bem-te-vis, imagino também que, de tanto se verem, de tanto fazerem juntos as mesmas rotinas, devem ter se tornado amigos. Afinal de contas, todos eles partilham de um mesmo destino do qual não podem fugir.

Ontem achei um bem-te-vi morto no meu quintal. Estava coberto de formigas. Achei-o por acidente, pois nada no canto dos bem-te-vis me sugeria que eles tivessem sido golpeados pela morte. O bem-te-vi morto estava sozinho. Nenhum dos companheiros de mesmo uniforme e mesmo canto que expressasse tristeza. Como se ele não fizesse falta alguma. Como se ele nunca tivesse existido! Como se os seus companheiros de canto nunca o tivessem notado! Não havia tristeza no ar. Seu canto não fazia falta. Era apenas um bem-te-vi sem nome, como todos os outros. Qualquer outro seria o mesmo.

A mesma coisa aconteceu no aquário. Um peixinho vermelho morreu. Ainda no dia anterior, ele brincava com todos os outros peixes, nadava nos mesmos lugares, comia a mesma comida. Agora ele boiava inerte na superfície da água. Mas era como se nada tivesse acontecido. Os outros não sentiam a sua falta. Continuavam suas rotinas, indiferentes, sem demonstrar sofrimento algum.

Quando eu era menino, numa cidade do interior, quando alguém morria as igrejas faziam soar o repique fúnebre dos sinos. Não importava que fosse um desconhecido. Todo mundo ficava sabendo que em algum lugar se chorava. Abria-se um espaço sagrado – pois o sagrado é isto, ali onde os homens choram juntos.

E fiquei a pensar em como somos diferentes: a felicidade dos animais e o choro dos homens. Nossos corpos são diferentes. O dia continuava belo para os bem-te-vis, o aquário continuava o mesmo para os peixinhos, porque – sem que tenham isto aprendido com qualquer filósofo estoico – eles praticam naturalmente a ataraxia, a absoluta indiferença ante os golpes da vida. Não sentem. Ou melhor, só sentem aquilo que diretamente atinge a sua pele. Disto o budismo já nos adverte: que a nossa intranquilidade se deve ao nosso desejo. Elimine-se o desejo e o sofrimento se reduzirá à dor que se sente no corpo.

Acontece que os deuses brincaram conosco e fizeram nosso corpo de uma outra substância. Em nossa carne mora o desejo. E desejo é isto: uma abertura para o universo inteiro, braços que abraçam desde as mais distantes estrelas até as mais ínfimas das criaturas. Pois Fernando Pessoa não tinha dó das estrelas? Não, não se tratava de figura retórica: ele sofria mesmo ao vê-las brilhando sem cessar, sem jamais descansar. Que vale dizer que as estrelas não sentem se, no corpo do poeta, elas vivem como uma ferida pulsante? Um dos meus maiores amigos – amigo de todas as horas – é o *seu* João, pedreiro único, não existindo outro igual. Pois todos os dias, antes de começar o seu trabalho, ele vai até a beirada da piscina e salva todos os bichinhos que ali haviam caído durante a noite – abelhas, marimbondos, besouros. Tolice, dirão. Pois não fazem falta. Morrerão de qualquer forma e nenhum dos seus companheiros está demonstrando qualquer sentimento diante da tragédia daqueles que ainda ontem voavam com eles. Haverá outras abelhas, outros marimbondos, outros besouros... Certo. Isto vale para os bichos. Mas não vale para o *seu* João. Pois a sua carne, doente de afeto, sofre com o sofrimento dos pequenos animais.

Nosso corpo padece desta doença: o amor. Seu limite não é a pele. Ele contém o universo inteiro. Dizia Pablo Neruda: “Sou onívoro de sentimentos, de seres... Comeria toda a terra. Beberia todo o mar”. E o nosso sofrimento tem a ver justamente com isto: que gostaríamos, como uma mãe, de acolher, proteger, acalentar tudo o que existe. E é por isto que o destino de um pássaro perdido, de uma gaivota coberta de óleo, de uma árvore que geme consumida pela queimada, são tragédias internas, que fazem nosso corpo estremecer e chorar.

Pensei estas coisas depois de ter tentado aprender com os animais e com as plantas o segredo da sua tranquilidade. E conclui que esta é uma lição que nos está vedado aprender. Nunca poderemos participar da sua felicidade. Para sermos tranquilos como bichos e árvores, seria necessário que não tivéssemos coração. Estamos condenados ao sofrimento porque estamos condenados ao amor. Nas palavras de Wordsworth,

graças ao coração humano que nos faz viver,
graças à sua ternura, alegrias e temores,
a mais sincera flor que o vento sopra
faz-me pensar pensamentos profundos
demais até para as lágrimas.

Este é o preço que se paga por se ter dentro de um corpo tão pequeno um coração que abraça um universo tão grande.

TÊNIS X FRESCOBOL

Depois de muito meditar sobre o assunto concluí que os casamentos são de dois tipos: há os casamentos do tipo tênis e há os casamentos do tipo frescobol. Os casamentos do tipo tênis são uma fonte de raiva e ressentimentos e terminam sempre mal. Os casamentos do tipo frescobol são uma fonte de alegria e têm a chance de ter vida longa.

Explico-me. Para começar, uma afirmação de Nietzsche, com a qual concordo inteiramente. Dizia ele: "Ao pensar sobre a possibilidade do casamento cada um deveria se fazer a seguinte pergunta: 'Serei capaz de conversar com prazer com essa pessoa até a minha velhice?' Tudo o mais no casamento é transitório, mas as relações que desafiam o tempo são aquelas construídas sobre a arte de conversar".

Xerazade sabia disso. Sabia que os casamentos baseados nos prazeres da cama são sempre decapitados pela manhã, terminam em separação, pois os prazeres do sexo se esgotam rapidamente, terminam na morte, como no filme *O império dos sentidos*. Por isso, quando o sexo já estava morto na cama, e o amor não mais se podia dizer através dele, ela o ressuscitava pela magia da palavra: começava uma longa conversa, conversa sem fim, que deveria durar mil e uma noites. O sultão se calava e escutava as suas palavras como se fossem música.

A música dos sons ou da palavra – é a sexualidade sob a forma da eternidade: é o amor que ressuscita sempre, depois de morrer. Há os carinhos que se fazem com o corpo e há os carinhos que se fazem com as palavras. E contrariamente ao que pensam os amantes inexperientes, fazer carinho com as palavras não é ficar repetindo o tempo todo: "Eu te amo, eu te amo...". Barthes advertia: "Passada a primeira confissão, 'eu te amo' não quer dizer mais nada". É na conversa que o nosso verdadeiro corpo se mostra, não em sua nudez anatômica, mas em sua nudez poética. Recordo a sabedoria de Adélia Prado: "Erótica é a alma".

O tênis é um jogo feroz. O seu objetivo é derrotar o adversário. E a sua derrota se revela no seu erro: o outro foi incapaz de devolver a bola. Joga-se tênis para fazer o outro errar. O bom jogador é aquele que tem a exata noção do ponto fraco do seu adversário, e é justamente para aí que ele vai dirigir a sua cortada – palavra muito sugestiva, que indica o seu objetivo sádico, que é o de cortar, interromper, derrotar. O prazer do tênis se encontra, portanto, justamente no momento em que o jogo não pode mais continuar porque o adversário foi colocado fora de jogo. Termina sempre com a alegria de um e a tristeza de outro.

O frescobol se parece muito com o tênis: dois jogadores, duas raquetes e uma bola. Só que, para o jogo ser bom, é preciso que nenhum dos dois perca. Se a bola veio meio torta, a gente sabe que não foi de propósito e faz o maior esforço do mundo para devolvê-la gostosa, no lugar certo, para que o outro possa pegá-la. Não existe adversário porque não há ninguém a ser derrotado. Aqui ou os dois ganham ou ninguém ganha. E ninguém fica feliz quando o outro erra – pois o que se deseja é que ninguém erre. O erro de um, no frescobol, é como ejaculação precoce: um acidente lamentável que não deveria ter acontecido, pois o gostoso mesmo é aquele ir e vir, ir e vir, ir e vir... E o que errou pede desculpas, e o que provocou o erro se sente culpado. Mas não tem importância: começa-se de novo este delicioso jogo em que ninguém marca pontos...

A bola: são as nossas fantasias, irrealidades, sonhos sob a forma de palavras. Conversar é ficar batendo sonho pra lá, sonho pra cá...

Mas há casais que jogam com os sonhos como se jogassem tênis. Ficam à espera do momento certo para a cortada. Camus anotava no seu diário pequenos fragmentos para os livros que pretendia escrever. Um deles, que se encontra nos *Primeiros cadernos*, é sobre este jogo de tênis:

"Cena: o marido, a mulher, a galeria. O primeiro tem valor e gosta de brilhar. A segunda guarda silêncio, mas, com pequenas frases secas, destrói todos os propósitos do caro esposo. Dessa forma marca constantemente a sua superioridade. O outro domina-se, mas sofre uma humilhação e é assim que nasce o ódio. Exemplo: com um sorriso: 'Não se faça mais estúpido do que é, meu amigo'. A galeria torce e sorri pouco à vontade. Ele cora, aproxima-se dela, beija-lhe a mão suspirando: 'Tens razão, minha querida'. A situação está salva e o ódio vai aumentando."

Tênis é assim: recebe-se o sonho do outro para destruí-lo, arrebentá-lo, como bolha de sabão... O que se busca é ter razão e o que se ganha é o distanciamento. Aqui, quem ganha sempre perde.

Já no frescobol é diferente: o sonho do outro é um brinquedo que deve ser preservado, pois se sabe que, se é sonho, é coisa delicada, do coração. O bom ouvinte é aquele que, ao falar, abre espaços para que as bolhas de sabão do outro voem livres. Bola vai, bola vem – cresce o amor... Ninguém ganha para que os dois ganhem. E se deseja então que o outro viva sempre, eternamente, para que o jogo nunca tenha fim...

SOBRE A SABEDORIA

Sejamos simples e calmos,
Como os regatos e as árvores,
E Deus amar-nos-á fazendo de nós
Belos como as árvores e os regatos,
E dar-nos-á verdor na sua primavera,
E um rio aonde ir ter quando acabemos!...

Alberto Caeiro

CAMPOS E CERRADOS

Tenho um pedacinho de terra na Serra da Mantiqueira. Não faço nada com ele. Fica lá como objeto de puro gozo, do jeito como vai renascendo, a cada ano, das forças misteriosas da natureza. Nem preciso estar lá para sentir prazer. Basta-me pensar nele, e saber que ele está à minha espera. Os olhos ficam logo fascinados com as coisas grandes: as montanhas que se sucedem, até desaparecem no horizonte, azuladas, escondidas em brumas. Os riachos de água transparente que correm sobre pedras, em meio às samambaias, aos lírios do brejo, às flores vermelhas cujo nome não sei, e que de tempos em tempos se transformam em cachoeiras. As gigantescas araucárias, de troncos enrugados, paraíso dos pica-paus de penacho vermelho e dos pintassilgos.

Mas o meu assombro fica maior quando os olhos passam das coisas grandes para as coisas pequenas, quase invisíveis. Os campos. É preciso andar com cuidado e com olhos atentos, pois a beleza aparece em lugares escondidos e inesperados, e o seu tamanho é tão diminuto que quase não é vista. Parece que a natureza ignora as distinções que fazemos entre o grande e o pequeno, pois a sua arte é tão perfeita num quanto no outro. Há os musgos que crescem na madeira apodrecida, com florescências cor abóbora. Tapetes de verde-veludo macio em lugares sombrios e úmidos. Flores minúsculas, nas formas e cores mais variadas, de simetria perfeita: brancas, roxas, vermelhas, amarelas, azuis, violetas, cruzes, estrelas, sóis, miniorquídeas.

Sobre um morro de terra ruim cresceu um cerrado. As barbas-de-bode são mechas de cabelo sobre a calva do chão árido. Crescem arbustos de troncos retorcidos e rugosos, que para nada servem. Há um verso do taoismo que diz: "A árvore reta é a primeira a ser cortada." E é verdade. Os homens de negócio veem as gigantescas e retas araucárias e logo pensam que poderiam ser transformadas em tábuas e dinheiro. Mas, que fazer com troncos mirrados e tortos? Nada. Ali, no meio do mirrado e do torto, o cheiro das flores silvestres é delicioso – razão por que se ouve o zumbido das abelhas. E se os olhos forem atentos, descobrirão os ninhos dos pássaros escondidos entre as folhas. E há também os frutos silvestres, entre eles as guabirobas com gosto de saudade.

A vida animal se anuncia ruidosa na barulheira dos frangos-d'água, os gritos das seriemas, os trinados sem fim dos pintassilgos, a tagarelice das maitacas, o coaxar dos sapos ao cair da tarde. Mas é sobretudo na imensa, variada e surpreendente família dos invertebrados que a natureza parece mais se deleitar, exibindo a sua arte de miniaturista. Há aranhas minúsculas que tecem suas teias sobre o capim, guarda-chuvas de renda transparente, que aparecem cobertas de gotas de orvalho pela manhã. Todas as vezes que vejo uma delas eu paro, pasmado, sem poder entender como é que arte tão perfeita pode existir, sem ter sido ensinada ou aprendida, num corpo tão pequeno e solitário. Borboletas, joaninhas, grilos, formigas, carrapatos, abelhas, marimbondos, bichos sem conta que vejo pela primeira vez e cujo nome desconheço: à volta de cada um deles, um universo maravilhoso que é só seu, incomunicável; em cada corpo uma dança, uma simetria, uma beleza, uma melodia.

Não há o que se fazer; só gozar. Meus pensamentos ficam diferentes. A cabeça é como uma taça que pode estar cheia ou vazia.

Se estiver cheia com seus próprios pensamentos, todas as maravilhas do mundo lhe serão inúteis: derramarão pela borda, como a água que se derrama pelas bordas de um copo já cheio. Para se poder ver é preciso parar de pensar. Coisa que Fernando Pessoa sabia:

O meu olhar é nítido como um girassol.
Creio no mundo como num malmequer,
Porque o vejo. Mas não penso nele,
Porque pensar é não compreender...
O mundo não se fez para pensarmos nele
(Pensar é estar doente dos olhos)
Mas para olharmos para ele e estarmos de acordo...

O mundo entra na alma quando ela está vazia de pensamentos. E assim somos invadidos por sua dança, sua simetria, sua beleza, sua melodia. Sentimos alegria. Alegria é uma experiência de encaixe, bem igual àquela do encaixe de corpos apaixonados, no ato do amor. Em cada um de nós mora um Vazio que espera por algo que irá enchê-lo. Todos somos femininos. E quando o Vazio se deixa penetrar pelo belo, acontece a alegria. Assim, para se conhecer a alma, basta que se conheça o objeto que lhe traz alegria.

Toda beleza e todo mistério daqueles campos na Mantiqueira me dão alegria porque, de alguma forma, eles vivem dentro de mim como desejo, como nostalgia. O universo inteiro mora, adormecido, dentro dos nossos corpos. Nas palavras de Hermann Hesse: "Quando nos detemos na contemplação de certas formas irracionais, estranhas, raras, da natureza, gera-se em nós um sentimento de harmonia entre nosso íntimo e a vontade que fez surgirem tais seres. É que a mesma e indivisível divindade opera em nós e na natureza. E se o mundo exterior acaso desaparecesse, qualquer um de nós seria capaz de recriá-lo, pois a montanha e o rio, a árvore e a folha, a raiz e a flor, toda forma que habita o mundo está pré-formada em nós, procede da alma, cuja existência é eterna, cuja essência desconhecemos, e que, entretanto, se dá a nós sobretudo como força de amar e como poder de criar força e poder ansiosos de plenitude".

Aconselharam-me a tornar produtivos aqueles campos inúteis. Disseram-me que o cerrado deveria ser queimado, para no seu lugar fazer crescer uma mata de *Pinus eliotis.* Explicaram-me que este *Pinus* cresce muito rápido e que, em poucos anos, as árvores poderiam ser cortadas e transformadas em bom lucro. Andei por uma mata de *Pinus eliotis.* Senti medo. Escura. O silêncio é total. Nenhum pio de pássaro. Eles não vão lá. Acho que também têm medo. O chão é coberto por uma compacta camada de folhas secas, tão compacta que ali não cresce nem tiririca. E fiquei pensando nas tortas e rugosas árvores do cerrado, e na vida que nelas mora. Pensei no destino das guabirobeiras, das flores silvestres, das abelhas... E concluí que minha alma é um cerrado, mas não é uma mata de *Pinus eliotis.* Aconselharam-me, também, a queimar os campos para neles plantar feijão. "Feijão dá bom dinheiro", argumentaram. Mas, antes de fazer isso, tive de ter uma conversa com as florzinhas quase invisíveis, os pequenos insetos, os passarinhos, as aranhas e suas teias. E não tive coragem. Minha alma é um campo, tal como saiu do ventre da mãe natureza, mas não é uma plantação rendosa. Fazer o que me aconselhavam era transformar uma grande e divina sinfonia na monotonia de um samba de uma nota só... "Não só de pão viverá o homem", dizem os textos sagrados. Precisamos de beleza, precisamos de mistério, precisamos do místico sentimento de harmonia com a natureza de onde nascemos e para a qual voltaremos.

Enquanto depender de mim, os campos ficarão lá. Enquanto depender de mim, os cerrados ficarão lá. Porque tenho medo de que, se eles forem destruídos, a minha alma também o será. Ficarei como as florestas de *Pinus*, úteis e mortas. Ficarei como as plantações rendosas, úteis e vazias de mistérios. E me perguntei se não é isto que o progresso e a educação estão fazendo com as nossas almas: transformando a beleza selvagem que mora em nós na monótona utilidade das monoculturas. Não é de admirar que, de mãos dadas com a riqueza, vá caminhando também uma incurável tristeza.

LIÇÕES DE BICHOS E COISAS

Tenho inveja das plantas e dos animais. Parecem-me tão tranquilos, possuidores de uma sabedoria que nós não temos. Como se desfrutassem da felicidade do Paraíso. Sofrem, pois não existe vida sem sofrimento. Mas sofrem sempre como se deve, quando o sofrimento vem, na hora certa, e não por antecipação. Saber sofrer é uma lição difícil de aprender. Se o terrível nos golpeia e não sofremos, algo está errado. Pois como não chorar, se o destino nos faz sangrar? Se não choramos é porque o coração está doente, perdeu a capacidade de sentir. Mas sofrer fora de hora é doença também, permitir-se ser cortado por golpes que ainda não aconteceram e que só existem como fantasmas da imaginação. Os animais sabem sofrer. Nós não. Somos prisioneiros da ansiedade. Pois ansiedade é isto: sofrer fora de hora, por um golpe que, por enquanto, só existe no futuro que imaginamos.

Talvez os animais sejam sadios de alma e nós, doentes. Norman O. Brown, um intérprete dissidente da teoria psicanalítica, parece concordar, ao se referir à "saúde simples que os animais gozam, mas não os homens". E Alberto Caeiro chama as próprias plantas como testemunhas da nossa doença. Diz ele:

Ah,
como os mais simples dos homens
são doentes e confusos e estúpidos
ao pé da clara simplicidade
e saúde em existir
das árvores e das plantas!

E Jesus, sofrendo com a nossa dor pelos sofrimentos que a ansiedade coloca no futuro, nos aconselhou a aprender da sabedoria das aves dos céus e dos lírios dos campos, reconciliados com a vida, vivendo as dores e felicidades do presente, e livres dos fantasmas da imaginação ansiosa. Sofremos pelo futuro e, por isso, não podemos colher as modestas mas reais alegrias que o presente nos oferece. Num documento poético, equivocadamente atribuído ao velho Borges (eu gostaria de tê-lo escrito), encontram-se essas palavras de sabedoria: "Eu era um desses que nunca ia a parte alguma sem um termômetro, uma bolsa de água quente, um guarda-chuva e um paraquedas. Se voltasse a viver, viajaria mais leve. Se eu pudesse voltar a viver correria mais riscos, viajaria mais, contemplaria mais entardeceres, subiria mais montanhas, nadaria mais rios. Se não o sabem, disso é feita a vida, só de momentos. Não percam o agora. Mas, já viram, tenho 85 anos e sei que estou morrendo".

Acho que todo mundo sabe, intuitivamente, que existe uma loucura na maneira de ser dos homens. E é por isso que a nostalgia por um sítio ou por uma casa na praia aparece como um dos nossos sonhos mais persistentes. Para longe do falatório dos homens, quando todos falam e ninguém escuta. De volta para a natureza, onde nada se diz e, no silêncio, se ouve uma sabedoria esquecida.

Dizem que São Francisco pregava sermões aos animais. Não acredito. Acho que se equivocaram. Pois só pregam sermões aqueles que se julgam portadores de uma sabedoria que os outros não têm.

Prega-se para convencer os outros a reconhecerem os seus erros – que se arrependam! – e para que, pela palavra ouvida, eles se tornem melhores. Mas, de que erro convenceremos as plantas e os animais? Pois são perfeitos em tudo o que fazem. Borboletas e beija-flores, lobos e urubus, tigres e golfinhos – todos eles se movem harmônicos ao som da melodia que toca dentro dos seus corpos. Nenhum dos seus movimentos é uma mentira. Por dentro e por fora são a mesma coisa. E que ensinamento temos que possa melhorá-los? Os animais ditos amestrados, deleite dos frequentadores de circos, só me dão tristeza. Pois eles só aprendem o que os homens lhes ensinam na medida em que se esquecem daquilo que a natureza lhes ensinou. Acredito, ao contrário, que o santo conversava com os animais, escutava o seu silêncio, e, se ele falava alguma coisa, era como o aluno que repete em voz alta aquilo que aprendeu dos seus mestres. Não era o santo que pregava aos animais; eram os animais que lhe ensinavam a sua sabedoria. E talvez seja esta a razão porque ele seja tão amado, porque nos seus gestos e palavras ele nos diz de um jeito de ser de plantas e bichos de que nos esquecemos e de que queremos nos lembrar, para sermos menos infelizes.

São Francisco não foi o único, Zaratustra, segundo os poemas que relatam a sua vida, cansou-se dos homens, e por dez anos viveu sozinho no alto de uma montanha, tendo como seus únicos companheiros uma águia e uma serpente. Thoreau, da mesma forma, abandonou a civilização para viver no meio das matas, para ali aprender um saber que não se encontrava nos livros e nas escolas. E santo Agostinho, em suas *Confissões*, declara que os seus mestres foram as coisas, as plantas, os animais:

Perguntei à terra,
ao mar, à profundeza
e, entre os animais, às criaturas que rastejam.

Perguntei aos ventos que sopram
e aos seres que o mar encerra.
Perguntei aos céus, ao sol, à lua e às estrelas
e a todas as criaturas à volta da minha carne:
Minha pergunta era o olhar que eu lhes lançava.
Sua resposta era a sua beleza.

Me dirão que plantas e animais não falam. Engano. É verdade que estão mergulhados no silêncio. Mas é neste silêncio que interrompe o vozerio dos homens que uma voz é ouvida, vinda das profundezas do nosso ser. Pois é aí que mora a sabedoria que perdemos. Você tem dificuldade em ouvir a voz das plantas e dos animais? Pois que leia os poetas, profetas do seu saber sem palavras. A *Sugestão* de felicidade de Cecília Meireles, onde ela diz que deveríamos ser como a flor que se cumpre sem pergunta, a cigarra, queimando-se em música, ao camelo que mastiga sua longa solidão, o pássaro que procura o fim do mundo, o boi que vai com inocência para a morte. E conclui: "Sede assim qualquer coisa serena, isenta, fiel. Não como os demais homens". Com o que concorda Alberto Caeiro, discípulo dos mesmos mestres:

Sejamos simples e calmos,
Como os regatos e as árvores,
E Deus amar-nos-á fazendo de nós
Belos como as árvores e os regatos,
E dar-nos-á verdor na sua primavera,
E um rio aonde ir ter quando acabemos!...

JARDINS

Depois de uma longa espera consegui, finalmente, plantar o meu jardim. Tive de esperar muito tempo porque jardins precisam de terra para existir. Mas a terra eu não tinha. De meu, eu só tinha o sonho. Sei que é nos sonhos que os jardins existem, antes de existirem do lado de fora. Um jardim é um sonho que virou realidade, revelação de nossa verdade interior escondida, a alma nua se oferecendo ao deleite dos outros, sem vergonha alguma... Mas os sonhos, sendo coisas belas, são coisas fracas. Sozinhos, eles nada podem fazer: pássaros sem asas... São como as canções, que nada são até que alguém as cante; como as sementes, dentro dos pacotinhos, à espera de alguém que as liberte e as plante na terra. Os sonhos viviam dentro de mim. Eram posse minha. Mas a terra não me pertencia.

O terreno ficava ao lado da minha casa, apertado, sem espaço, entre muros. Era baldio, cheio de lixo, mato, espinhos, garrafas quebradas, latas enferrujadas, lugar onde moravam assustadoras ratazanas que, vez por outra, nos visitavam. Quando o sonho apertava eu encostava a escada no muro e ficava espiando.

Com os olhos eu via as coisas feias. Com o nariz sentia o seu fedor. Era o que estava lá, a dura "realidade" presente. Mas a imaginação é coisa mágica. Tem o poder para ver e cheirar o que está ausente.

Assim, graças aos seus poderes mágicos, eu via o meu jardim ausente e sentia os cheiros de suas flores e ervas. Pensava que, de alguma forma, coisa semelhante deveria ter acontecido com Deus Todo Poderoso. Pois o que dizem os textos sagrados é que, à sua volta, só existiam escuridão e confusão. Coisas que o deixavam triste. Foi então que ele sonhou com um jardim e compreendeu que era aquilo que o deixaria feliz, se existisse. E se pôs a trabalhar para plantar um Paraíso. Terminado o trabalho, dizem os poemas, o Criador descansou, e se entregou ao puro prazer. Viu que tudo era muito bom. E, ao contrário do que dizem dele os religiosos (que mora no céu infinito, em meio às estrelas, entre os anjos...), resolveu que lugar melhor para se morar que um jardim não existe. E lá ficou, tomando prazer especial em passar em meio às plantas, à hora da brisa quente da tarde...

Eu não acreditava que meu sonho pudesse ser realizado. E até andei procurando uma outra casa para onde me mudar, pois constava que outros tinham planos diferentes para aquele terreno onde viviam os meus sonhos. E se o sonho dos outros se realizasse, eu ficaria como pássaro engaiolado, espremido, entre dois muros, condenado à infelicidade.

Mas um dia o inesperado aconteceu. O terreno ficou meu. O meu sonho fez amor com a terra e o jardim nasceu.

Não chamei paisagista. Paisagistas são especialistas em jardins bonitos, mas não era isso que eu queria. Queria um jardim que falasse. Pois você não sabe que os jardins falam? Quem diz isso é o Guimarães Rosa: "São muitos e milhões de jardins, e todos os jardins se falam. Os pássaros dos ventos do céu – constantes trazem recados. Você ainda não sabe. Sempre à beira do mais belo. Este é o Jardim da Evanira. Pode haver, no mesmo agora, outro, um grande jardim com meninas. Onde uma Meninazinha, banguelinha, brinca de se fazer Fada... Um dia você terá saudades... Vocês, então, saberão..." É preciso ter saudades para saber. Somente quem tem saudades entende os recados dos jardins. Não chamei um paisagista porque, por competente que fosse, ele não podia ouvir os recados que eu ouvia. As saudades dele não eram as saudades minhas. Até que ele poderia fazer um jardim mais bonito que o meu. Paisagistas são especialistas em estética: tomam as cores e as formas e constroem cenários com as plantas no espaço exterior. A natureza revela então a sua exuberância num desperdício que transborda em variações que não se esgotam nunca, em perfumes que penetram o corpo por canais invisíveis, em ruídos de fontes ou folhas... O jardim é um agrado no corpo. Nele a natureza se revela amante... E como é bom!

Mas não era bem isto que eu queria. Queria o jardim dos meus sonhos, aquele que existia dentro de mim como saudade. O que eu buscava não era a estética dos espaços de fora; era a poética dos espaços de dentro. Eu queria fazer ressuscitar o encanto de jardins passados, de felicidades perdidas, de alegrias já idas. "Em busca do tempo perdido..." Uma pessoa, comentando este meu jeito de ser, escreveu: "Coitado do Rubem! Ficou melancólico. Dele não mais se pode esperar coisa alguma...". Não entendeu. Pois melancolia é justamente o oposto: ficar chorando as alegrias perdidas, num luto permanente, sem a esperança de que elas possam ser de novo criadas. Aceitar como palavra final o veredito da realidade, do terreno baldio, do deserto. Saudade é a dor que se sente quando se percebe a distância que existe entre o sonho e a realidade. Mais do que isto: é compreender que a felicidade só voltará quando a realidade for transformada pelo sonho, quando o sonho se transformar em realidade. Entendem agora por que um paisagista seria inútil? Para fazer o meu jardim ele teria que ser capaz de sonhar os meus sonhos...

Sonho com um jardim. Todos sonham com um jardim. Em cada corpo, um Paraíso que espera... Nada me horroriza mais que os filmes de ficção científica onde a vida acontece em meio aos metais, à eletrônica, nas naves espaciais que navegam pelos espaços siderais vazios... E fico a me perguntar sobre a perturbação que levou aqueles homens a abandonar as florestas, as fontes, os campos, as praias, as montanhas... Com certeza um demônio qualquer fez com que se esquecessem dos sonhos fundamentais da humanidade. Com certeza seu mundo interior ficou também metálico, eletrônico, sideral e vazio... E com isto, a esperança do Paraíso se perdeu. Pois, como o disse o místico medieval Ângelus Silésius:

Se, no teu centro
um Paraíso não puderes encontrar,
não existe chance alguma de, algum dia,
nele entrar.

Este pequeno poema de Cecília Meireles me encanta, é o resumo de uma cosmologia, uma teologia condensada, a revelação do nosso lugar e do nosso destino:

No mistério do Sem-Fim,
equilibra-se um planeta.
E, no planeta, um jardim,
e, no jardim, um canteiro:
no canteiro, uma violeta,
e, sobre ela, o dia inteiro,
entre o planeta e o Sem-Fim,
a asa de uma borboleta.

Metáfora: somos a borboleta. Nosso mundo, destino, um jardim.

Resumo de uma utopia. Programa para uma política. Pois política é isto: a arte da jardinagem aplicada ao mundo inteiro. Todo político deveria ser jardineiro. Ou, quem sabe, o contrário: todo jardineiro deveria ser político. Pois existe apenas um programa político digno de consideração. E ele pode ser resumido nas palavras de Bachelard: "O universo tem, para além de todas as misérias, um destino de felicidade. O homem deve reencontrar o Paraíso".

EM LOUVOR À INUTILIDADE

Achei que conhecia o meu jardim. Pois foi da minha cabeça que ele saiu. Cada planta tinha uma razão de ser, uma história. Uma memória. Bastava olhar para ele para despertar em mim meu ardor de jardineiro: canteiro pra regar, tiriricas pra arrancar, terra pra estercar, galhos pra podar, pragas pra matar. De tesoura de podar e pazinha na mão eu era utilidade da cabeça aos pés. Era preciso trabalhar.

Aí eu fiquei doente. (Aquela cirurgia, faz tempo...) E o jardim, de repente, ficou diferente. Comecei a ver coisa que nunca vira. Estiveram sempre lá, debaixo do meu nariz, mas eu, útil e apressado, nunca as tinha nem visto, nem cheirado, nem sentido. A dor me obrigou a ser de um jeito que eu normalmente não era. Dor, quando está ali, martelando, é coisa ruim. O mundo acaba e fica sendo só aquele lugar onde a dor perfura. Mas há uma outra dor que fica do lado, quietinha, e que diz: "Se você mexer eu te faço sofrer...". Pois foi esta, minha mestra, que me ensinou lições, deixando-me um pouquinho mais sábio. Primeiro, as lições da humildade, aquele sentimento de *dependência absoluta*, que Schleiermacher identificou como sendo a essência do sentimento religioso. Diante do mistério da vida nada posso fazer: só sou, só estou.

Depois, a virtude da paciência. Há que se saber esperar, pois a natureza anda devagar. Não foi ainda atingida pela loucura da pressa.

Minha agenda foi esquecida, inútil, com suas listas de coisas por fazer e compromissos a atender. Senti as delícias de não cumprir um dever, sem ter dores de consciência. Dizer *não* de forma final e definitiva, o outro sem fala, inúteis todos os argumentos que ele já tinha prontos para me convencer. E, o mais importante: obrigou-me a fazer nada. Ensinou-me a conviver primeiro com a aflição e depois com as delícias da inutilidade. Fiquei diferente, as mãos impotentes, inúteis, pendentes. Só me restava contemplar, receber, pois eu nada não podia fazer.

Há um lado nosso que fica escondido, reprimido, que só aparece quando nada podemos fazer. É o lado receptivo, puro gozo da contemplação, sem tentar fazer coisa alguma. Eu ficava sentado, na varanda, olhando. E à medida que eu fazia as pazes com a minha inutilidade o jardim ia fazendo *striptease*, e me mostrando uma nudez que eu nunca vira.

Primeiro, a brincadeira da luz com as folhas e o vento. O vento batia, as folhas balançavam, e tudo ficava diferente. Os reflexos e as sombras se alternavam, formando configurações que não se repetiriam nunca. Como eu nada podia fazer, só me restava ser um espectador do espetáculo que dizia: "Muito bem, bis, como é lindo!" E luz, vento e folhas agradeciam e faziam uma nova dança.

Notei as formas, troncos rugosos e lisos, finos e grossos, solitários e galhosos, as infinitas simetrias das folhas, vaginais, circulares, mãos, sombrinhas, rendas, corações, umas pendendo tristes, outras se levantando aos céus. Depois, uma curiosa dança de um beija-flor e um marimbondo, ambos em busca de água açucarada, disputando o mesmo lugar; e ficaram os dois, por alguns segundos, imóveis no ar, um diante do outro, até que o marimbondo, me pareceu, reconheceu os direitos do beija-flor e resolveu se retirar.

Identifiquei o lugar onde os bicos-de-lacre haviam feito um ninho. Já tinha ouvido seus piados muitas vezes, mas não tinha tido tempo para vê-los desaparecer no meio das folhas das bougainvílleas.

E os urubus, maravilhosamente belos na fundura do céu, nem um só movimento a perturbar a placidez de sua harmonia com o vento. Pensei também no invisível movimento dos fluídos vitais, percorrendo as plantas, sangue vegetal, manifestação silenciosa do mistério da vida. E acompanhei as mudanças no espírito do tempo. Ouvi os segredos das manhãs (alegres), do meio-dia (parado) e das tardes (tristes).

Foi em meio a esta inutilidade sem culpa que me dei ao luxo de ler livros que há muito tempo me esperavam na estante. As listas de coisas importantes (!) para fazer sempre me obrigavam a deixá-los para depois. Mas agora eu deixara de ser objeto útil. Não podia ser usado para nada. Gozava a suprema liberdade de ser absolutamente inútil e podia me entregar aos devaneios do pensamento, sem que ninguém me cobrasse nada. Comecei por livros pesados. Me cansei. Passei para outros mais leves e, finalmente, entreguei-me vorazmente à suprema forma de inutilidade: comecei a ler a Agatha Christie. Esqueci tudo, porque todos os mistérios são iguais e terminam da mesma forma. Mas não me esqueci de uma página. Os personagens discutiam uma tela onde havia um velho chinês absortamente entregue a uma brincadeira com barbantes. E alguém comentou: "É preciso ser muito sábio para ser capaz de fazer nada!" E tive inveja do velho chinês. Eu não estava brincando com barbantes, mas os livros de mistério não deixam de ser um rolo de fios que precisa ser desembaraçado. Amei o velho desconhecido e pensei que, talvez, seja isto que precisamos aprender, para sermos menos loucos e um pouco mais sábios: que há uma forma suprema de felicidade que só podemos gozar quando nos entregamos à deliciosa irresponsabilidade da inutilidade.

Gostei tanto da ideia que até vou escrever de novo sobre ela.

FAZER NADA

A manhã está do jeito como eu gosto. Céu azul, ventinho frio. Logo bem cedinho convidou-me a fazer nada. Dar uma caminhada – não por razões de saúde, mas por puro prazer. Os ipês-rosa floriram antes do tempo – vocês já notaram? E não existe coisa mais linda que uma copa de ipê contra o céu azul. Cessam todos os pensamentos ansiosos e a gente fica possuído por pura gratidão de que a vida seja tão generosa em coisas belas. Ali, debaixo do ipê, não há nada que eu possa fazer. Não há nada que eu deva fazer. Qualquer ação minha seria supérflua. Pois como poderia eu melhorar o que já é perfeito?

Lembro-me das minhas primeiras lições de filosofia, de como eu me ri quando li que, para o taoismo, a felicidade suprema é aquilo a que dão o nome de *wu wei*, fazer nada. Achei que eram doidos. Porque, naqueles tempos, eu era um ser ético que julgava que a ação era a coisa mais importante. Ainda não havia aprendido as lições do Paraíso – que quando se está diante da beleza só nos resta... fazer nada, gozar a felicidade que nos é oferecida.

Queria perguntar aos ipês das razões do seu equívoco. Será que, por acaso, não possuíam uma agenda? Pois, se possuíssem, saberiam que floração de ipê está agendada somente para o mês de julho.

Qualquer um que preste atenção nos tempos da natureza sabe disto. Mas antes que fizesse minha pergunta tola ouvi, dentro de mim, a resposta que me dariam. Responderiam citando o místico medieval Ângelus Silésius, que dizia que as flores não têm porquês; florescem porque florescem. Pensei que seria bom se também nós fôssemos como as plantas, que nossas ações fossem um puro transbordar de vitalidade, uma pura explosão de uma beleza que cresceu por dentro e não mais pode ser guardada. Sem razões, por puro prazer.

Mas aí olho para a mesa e um livro de capa verde me lembra que não vivo no Paraíso, que não tenho o direito de viver pelo prazer. Há deveres que me esperam. O que todos pedem de mim não é que eu floresça como os ipês, mas que eu cumpra os meus deveres – muito embora eles me levem para bem longe da minha felicidade. Pois dever é isto: aquela voz que grita mais alto que minhas flores não nascidas – os meus desejos – e me obriga a fazer o que não quero. Pois, se eu quisesse, ela não precisaria gritar. Eu faria por puro prazer. E se grita, para me obrigar à obediência, é porque o que o dever ordena não é aquilo que a alma pede. Daí a sabedoria de dois versos de Fernando Pessoa. Primeiro, aquele em que diz: *Ah, a frescura na face de não cumprir um dever!* Desavergonhado, irresponsável, corruptor da juventude, deveria ser obrigado a tomar cicuta, como Sócrates! Não é nada disto. Ele só diz a verdade: só podemos ser felizes quando formos como os ipês; quando florescermos porque florescemos; quando ninguém nos ordena o que fazer, e o que fazemos é só um filho do prazer. E o outro verso, aquele em que diz que somos o intervalo entre o nosso desejo e aquilo que o desejo dos outros fez de nós.

No meu livro de capa verde estão escritos os desejos dos outros. Ele se chama agenda. Os meus desejos, não é preciso que ninguém me lembre deles. Não precisam ser escritos. Sei-os (isto mesmo, seios!) de cor. De cor quer dizer *no coração.*

Aquilo que está escrito no coração não necessita de agendas porque a gente não esquece. O que a memória ama fica eterno. Se preciso de agenda é porque não está no coração. Não é o meu desejo. É o desejo de um outro. Minha agenda me diz que devo deixar minha conversa com os ipês para depois, pois há deveres a serem cumpridos. E que eu devo me lembrar da primeira lição de moral ministrada a qualquer criança: primeiro a obrigação, depois a devoção; primeiro a agenda, depois o prazer; primeiro o desejo dos outros, depois o desejo da gente. Não é esta a base de toda vida social? Uma pessoa boa, responsável, não é justamente esta que se esquece dos seus desejos e obedece os desejos de um outro – não importando que o outro more dentro dela mesma?

Ah! Muitas pessoas não têm uma alma. O que elas têm, no seu lugar, é uma agenda. Por isto serão incapazes de entender o que estou dizendo: em suas almas-agendas já não há lugar para o desejo. No lugar dos ipês existe apenas um imenso vazio. Há um vazio que é bom: vazio da fome (que faz lugar para o desejo de comer); vazio das mãos em concha (que faz lugar para a água que cai da bica); vazio dos braços (que faz lugar para o abraço); vazio da saudade (que faz lugar para a alegria do retorno).

Mas há um vazio ruim que não faz lugar para coisa alguma, vazio-deserto, ermo onde moram os demônios. E este vazio, túmulo do desejo, precisa ser enchido de qualquer forma. Pois, se não o for, ali virá morar a ansiedade.

A ansiedade é o buraco deixado pelo desejo esquecido, o buraco de um coração que não mais existe: grito desesperado pedindo que desejo e coração voltem, para que se possa de novo gozar a beleza da copa do ipê contra o céu azul. Tão terrível é este vazio que vários rituais foram criados para exorcizar os demônios que moram nele. Um deles é a minha agenda – e a agenda de todo mundo. Quando a ansiedade chega, basta ler as ordens que estão escritas, o buraco se enche de comandos, e se fica com a ilusão de que tudo está bem. E não é por isto que se trabalha tanto – da vassoura das donas de casa à bolsa de valores dos empresários? São todos iguais: lutam contra o mesmo medo do vazio.

> E vós, para quem a vida é trabalho e inquietação furiosos – não estais por demais cansados de viver? Não estais prontos para a pregação da morte? Todos vós para quem o trabalho furioso é coisa querida – e também tudo o que seja rápido, novo e diferente – vós achais por demais pesado suportar a vós mesmos; vossa atividade é uma fuga, um desejo de vos esquecerdes de vós mesmos. Não tendes conteúdo suficiente em vós mesmos para esperar – e nem mesmo para o ócio. (Nietzsche)

Por isto ligamos as televisões, para encher o vazio; por isto passamos os domingos lendo os jornais (mesmo enquanto nossos filhos brincam no balanço do parquinho), para encher o vazio; por isto não suportamos a ideia de um fim de semana ocioso, sem fazer nada (já na segunda-feira se pergunta: "E no próximo fim de semana, que é que vamos fazer?"); por isto até a praia se enche de atividade frenética, pois temos medo dos pensamentos que poderiam nos visitar na calma contemplação da eternidade do mar, que não se cansa nunca de fazer a mesma coisa.

Certos estão os taoistas: a felicidade suprema é o *wu wei*, fazer nada. Porque só podem se entregar às delícias da contemplação aqueles que fizeram as pazes com a vida e não se esqueceram dos seus próprios desejos.

AS COISAS ESSENCIAIS

Leia este poema bem devagar, pois cada imagem merece a preguiça do olhar:

No mistério do Sem-Fim,
equilibra-se um planeta.
E, no planeta, um jardim,
e, no jardim, um canteiro:
no canteiro, uma violeta,
e, sobre ela, o dia inteiro,
entre o planeta e o Sem-Fim,
a asa de uma borboleta.

É pequeno, mas diz tudo. Nada lhe falta. Uni-verso. Nenhuma palavra lhe poderia ser acrescentada. Nenhuma palavra lhe poderia ser tirada. Assim se faz um poema, com palavras essenciais. O poema diz o essencial.

O essencial é aquilo que, se nos fosse roubado, morreríamos. O que não pode ser esquecido. Substância do nosso corpo e da nossa alma. Por isto as pessoas se suicidam: quando se sentem roubadas do essencial, mutiladas sem remédio, e a vida, então, não mais vale a pena ser vivida.

Os poetas são aqueles que, em meio a dez mil coisas que nos distraem, são capazes de ver o essencial e chamá-lo pelo nome. Quando isto acontece, o coração sorri e se sente em paz. Encontrou aquilo que procurava. Kirilov, personagem de Dostoievski, assim descreve o encontro com o essencial: "Há momentos em que a gente sente de súbito a presença da harmonia eterna. É um sentimento claro, indiscutível, absoluto. Apanhamos de repente a natureza inteira e dizemos *é exatamente assim*! É uma alegria tão grande! Se durasse mais de cinco segundos a alma não o suportaria e teria de desaparecer. Nesses cinco segundos vivo uma experiência inteira, e por eles daria toda a minha vida, pois eles bem o valem".

Chamava-se Norma. Estava doente, muito doente. Na véspera de sua morte, arrastou-se até o banheiro e foi até a pia para lavar-se dos vômitos. Abriu a torneira e a água fria escorreu sobre as suas mãos... Ela parou, como que encantada pelo líquido que a acariciava. E de sua boca saíram estas palavras inesperadas: "A água... Como é bela! Sempre que a vejo penso em Deus. Acho que Deus é assim...".

A Morte na pia.

A água que escorre...

Os olhos contemplam a eternidade...

O universo essencial da Norma está cheio de fontes frescas e regatos transparentes onde brincam as suas mãos.

O nome do filme eu nem me lembro. Sei que se passava no Japão. Um casal de velhinhos. A esposa havia morrido. Os filhos, reunidos para a divisão das coisas deixadas. De repente percebem uma ausência. O pai, onde estará? Pois não estava ali, entre eles. Depois de uma longa espera aflita, lá vem o seu vulto, banhado pela luz do crepúsculo.

– Papai, onde foi? Estávamos preocupados!

– Onde fui? Fui ver o pôr do sol... É tão bonito...

Os filhos repartem os despojos.

Os olhos do pai contemplam o horizonte colorido...

O universo essencial do pai está cheio de pores do sol. Sem eles os seus olhos ficariam eternamente tristes...

Este poema é de Brecht:

Quando no quarto branco do hospital
acordei certa manhã
e ouvi o melro, compreendi bem.
Há algum tempo já não tinha medo da morte. Pois
nada me poderá faltar se eu mesmo faltar.
Então consegui me alegrar com todos os cantos dos
melros depois de mim...

A morte branca no quarto de hospital.

Fora, o melro canta.

Alegria pelos cantos que não ouvirei.

No universo essencial de Brecht o canto dos melros continuará, sem fim.

Pergunto se, depois que se navega,
a algum lugar, enfim, se chega...
O que será talvez até mais triste.
Nem barca nem gaivota: somente sobre-humanas
companhias...

Cecília Meireles sabia o que era essencial. No seu mundo, as barcas navegariam as águas e gaivotas planariam pelos ares...

O que é o essencial? Os filósofos antigos reduziam o essencial a quatro elementos fundamentais: a água, a terra, o ar, o fogo. Concordo com eles. Pensavam estar fazendo cosmologia, mas estavam fazendo poesia. Sabiam dos segredos da alma. Pois é disto que somos feitos. Posso imaginar um mundo sem as maravilhas da técnica, sem que eu sinta, por isto, nenhuma tristeza especial. Mas não posso pensar um mundo sem a chuva que cai, sem regatos cristalinos, sem o mar misterioso... Não posso imaginar um mundo sem o calor do sol que agrada a pele e colore o poente, sem o fogo que ilumina e aquece... Não posso imaginar um mundo sem o vento onde navegam as nuvens, os pássaros e o cheiro das magnólias... Não posso imaginar um mundo sem a terra prenhe de vida onde as plantas mergulham suas raízes... São estes os amantes com que a vida faz amor e engravida, de onde brota toda a exuberância e mistério deste mundo, nosso lar. Não preciso de deuses mais belos que estes.

Ouço, pelo mundo inteiro, em meio ao barulho das dez mil coisas que fazem a nossa loucura, as vozes-poemas daqueles que percebem o essencial. Elas dizem uma coisa somente: "Este mundo maravilhoso precisa ser preservado". Mas ouço também a voz sombria dos que perguntam: "Conseguiremos?".

SOBRE PRÍNCIPES E SAPOS

Muitos e muitos anos atrás, antes do asfalto, quando a rodovia Fernão Dias ou era um mar de pó ou um mar de lama, as viagens eram aventuras. Eu morava no interior de Minas e o jeito de vir a Campinas para ver a namorada era arranjar carona em algum caminhão. Pois foi numa destas vezes que o motorista, delicadamente, para início de uma conversa que prometia ser muito longa, me perguntou: "E o que é que você faz?". Eu poderia ter dito simplesmente: "Sou professor". Isto ele entenderia perfeitamente, pois já havia frequentado escolas, sabia muitas coisas sobre professores, e passaria então a contar de suas proezas na aritmética e suas dificuldades com a língua pátria. Mas eu, inexperiente e tolo, e para dar um ar de importância, respondi: "Sou professor de filosofia...". O rosto do motorista se iluminou num largo sorriso. "Até que enfim", ele disse. "Faz anos que eu quero saber o que é filosofia e até hoje não encontrei ninguém que me explique. Mas hoje tenho a sorte de ter um professor de filosofia como companheiro de viagem. Hoje vou ter a explicação. Afinal de contas, o que é filosofia?"

Não tenho memória alguma do que lhe disse como inútil explicação. Mas o seu sorriso me volta sempre que revelo a alguém que sou psicanalista. Porque inevitavelmente vem a mesma pergunta: "E o que é psicanálise?". Os mais sabidos, que já ouviram ou leram sobre o assunto, dispensam introduções e vão logo ao exame de posições. "E qual é a linha que o senhor segue?" Me dá logo vontade de dizer que prefiro as curvas às retas – no que não estaria sendo infiel ao espírito da psicanálise, onde a curva é sempre o caminho mais curto entre dois pontos. Mas sei que não entenderiam, pois o que querem saber é se sou freudiano, kleiniano, bioniano, jungiano, lacaniano etc. etc. Acontece que este não é o meu jeito. Preferindo as curvas às retas, sigo o conselho de Guimarães Rosa: só dou respostas para perguntas que ninguém nunca perguntou. E assim, meio num estilo oriental, meio num estilo evangélico, conto uma estória:

"Era uma vez um príncipe de voz maravilhosa que encantava a todas as criaturas que o ouviam. Seu canto era tão belo que seduziu até a bruxa que morava na floresta negra e que por ele também se apaixonou. Mas, diferente de todos os outros, que se sentiam felizes só de ouvir, ela resolveu cantar também. *Que lindo dueto faremos*, ela pensou. E logo se pôs a cantar. Acontece, entretanto, que bruxas não conseguem cantar afinado. Bastava que ela abrisse a boca para que dela saíssem os sons mais bizarros, que soavam como o coaxar de sapos e rãs. A vaia foi geral. A bruxa se encheu de uma inveja raivosa e lançou contra ele o mais terrível dos feitiços: *Se não posso cantar como você canta, farei com que você cante como eu canto.* E o príncipe foi transformado num sapo. Envergonhado de sua nova forma ele fugiu e se escondeu no fundo da lagoa, onde moravam os sapos e rãs. Ele ficou em tudo parecido aos batráquios. Menos numa coisa. Continuou a cantar tão bonito quanto sempre cantara. Mas desta vez quem não gostou do canto do novo sapo foram os sapos e as rãs que só sabiam coaxar. O canto novo soava aos seus ouvidos como coisa de outro mundo, que perturbava a concordância de sua monotonia sapal. Severos, advertiram: *Quem mora com rãs e sapos tem de coaxar como rãs e sapos.* O príncipe-sapo fez cessar o seu canto e não teve alternativas: teve de aprender a coaxar como todos os outros faziam. E tanto repetiu que acabou por se esquecer das canções de outrora. Não, não se esqueceu não... Porque, quando dormia, ele se lembrava e ouvia a música antiga proibida que continuava a se cantar dentro dele. Mas quando ele acordava, se esquecia. Mas não de tudo. Ficava numa saudade indefinível. Saudade, ele não sabia bem de quê. Saudade que lhe dizia que ele estava longe, muito longe do lar..."

Este é o resumo da psicanálise, tal como eu a entendo. É uma estória em que se misturam o amor, a beleza e o feitiço do esquecimento. Decepcionaram-se? Esperavam nomes famosos, conceitos complicados – e ao invés disto eu conto uma estória de fadas. *Palavras para fazer as crianças dormirem*, dirão. Mas eu acrescento: *É para fazer os adultos acordarem*... A psicanálise é uma luta para quebrar o feitiço da palavra má que nos fez adormecer e esquecer a melodia bela. É um ouvir atento de uma canção que só se ouve no intervalo do silêncio do coaxar dos sapos, e que nos chega como pequenos e fugazes fragmentos desconexos. É uma batalha para nos fazer retornar ao nosso destino, inscrito nas funduras do mar da alma.

Li os clássicos. Mas foi pela palavra dos anônimos contadores de estórias de encantamento e no encantamento da palavra dos poetas que a letra morta ficou coisa viva. Melhor do que eu, diz estes segredos do corpo e da alma, Fernando Pessoa. Leia estes versos. Mas leia devagar. Leia de novo. É do nosso mistério que ele fala. É o nosso mistério que ele invoca:

Cessa o teu canto!
Cessa, que, enquanto o ouvi,
ouvia uma outra voz
como que vindo nos interstícios
do brando encanto
com que o teu canto vinha até nós.

Ouvi-te e ouvi-a
no mesmo tempo e diferentes
juntas a cantar.
E a melodia que não havia se agora a lembro faz-me chorar.

E ele pergunta:

Foi tua voz encantamento que,
sem querer, nesse momento
vago acordou um ser qualquer alheio a nós que nos falou?

Será isto? Em nós mora um outro? Nos interstícios do coaxar, uma canção? Que outro é este?

Que anjo, ao ergueres a tua voz,
sem o saberes,
veio baixar sobre esta terra onde a alma erra,
e com suas asas soprou as brasas de ignoto lar?

Mora em nós um outro que não se esquece da nossa verdade...

Alguns pensam que psicanálise e poesia são coisas de loucos. Tem até o ditado: *De poeta e de louco todo mundo tem um pouco.* Os sapos e as rãs, ao ouvirem as canções do príncipe poeta, só poderiam ter dito: *É poeta! É louco!* E trataram de curá-lo, educando-o para a realidade. Para eles ser normal é coaxar como todos coaxam. Mas a alma, em meio à ruidosa monotonia da vida, continua a ouvir uma voz que vem nos intervalos. Continua a chorar ao ouvir uma melodia que não havia. Continua a ouvir a fala de um estranho que mora em nós, e que nos visita nos sonhos.

Continua a ser queimada pelas brasas da saudade de um lar esquecido, do qual estamos exilados.

É bem possível que os sapos e as rãs vivam mais tranquilos. Para eles todas as questões já estão resolvidas.

Mas existe uma felicidade que só mora na beleza. E esta a gente só encontra na melodia que soa, esquecida e reprimida, no fundo da alma.

SOBRE OS GOLPES

Hay golpes en la vida, tan fuertes... Yo no sé! Golpes como del odio de Dios; como si ante ellos, la resaca de todo lo sufrido se empozara en el alma... Yo no sé!
Y el hombre... Pobre... pobre! Vuelve los ojos, y todo lo vivido se empoza, como un charco de culpa, en la mirada.

Cesar Vallejo

ENTRE O MARTELO E A BIGORNA

Falam muito mal do Diabo. Concluí que isto é coisa injusta, maledicência, tenho estado conversando com ele, e pelos pensamentos que me fez pensar, cheguei à conclusão de que ele não é o vilão que todos dizem...

Tudo começou no hospital, ao martelar da dor de uma hérnia de disco. Foi aí que me lembrei do Diabo, porque a dor é coisa dele. De Deus é que não é, pois se Deus gastasse o seu tempo em me fazer sofrer não seria melhor que um torturador, não mereceria o meu respeito e, muito menos, o meu amor...

Pensei em Jó, dizem os poemas sagrados que, num belo dia, Deus se reuniu com todos os seus vassalos. E, entre eles estava – sabem quem? – ele, Satã, o adversário. Inicia-se então uma conversa cortês entre os dois, Deus e o Diabo. Depois de perguntar sobre suas andanças, e de ser informado de que ele havia vindo passear por toda a terra, Deus lhe pergunta: "Você já viu o meu servo Jó? Homem extraordinário, nele só existem coisas boas. Jó é uma canção de beleza. Ah! Como me deleito, escutando sua música!".

"Não é para menos", respondeu o Diabo. "Pois tu o tens cercado só de coisas boas, estranho seria se não estivesse cantando, mas deixa que eu o submeta a um teste, deixa que o ponha sobre minha bigorna e lhe bata com o meu martelo! Vamos ver se, depois de esmigalhados os supérfluos, quando ele estiver absolutamente só com a sua verdade, se ainda a mesma música se fará ouvir..."

E me veio então a curiosa ideia de que o Diabo é o encarregado do controle de qualidade do ser humano. Ele não acredita nas aparências. Vai descascando a gente como se fôssemos cebola, casca a casca, até chegar lá no interior escondido, para ver o que é que tem lá. Existirá algo? Ou será só o vazio? Pensei isto porque é precisamente isto que a dor faz: ela tira todas as cascas, destrói todos os supérfluos, até que só sobra, lá no fundo, aquilo além do que então se pode ir. E esta é a hora da verdade.

Por isto que parei de chamá-lo de Tentador – uma palavra carregada de sugestões morais, como se o seu negócio fosse enganar e lançar no inferno. Prefiro antes chamá-lo de Testador, aquele que nos faz passar pelo teste, que nos submete ao controle de qualidade para ver se, dentro da bela viola não existe só pão bolorento.

Outros textos sagrados são mais radicais ainda, e sugerem que o Diabo não é uma entidade à parte, mas é o "lado de trás de Deus". O Testador é Deus, quando ele pega a bigorna e o martelo, pois foi isto que ele fez com Abraão, homem bom e feliz, que não se cansava de tocar em sua flauta os mais belos louvores à vida, pela alegria de um filho, nascido além de todas as esperanças. E se diz que chegou o momento em que Deus resolveu fazê-lo passar pelo teste. "Abraão, Abraão, toma o teu filho, o teu único filho, a quem amas, e oferece-o como sacrifício sobre as montanhas..." Vamos ver, Abraão, se sem o seu filho, você continuará a tocar a sua flauta... Vamos ver se você será capaz de "conter a morte, a morte inteira, docemente, sem se tornar amargo..." (Rilke). E dizem também os relatos do Novo Testamento, que foi o próprio Espírito que empurrou Jesus para o deserto (lá, onde a solidão é total; lá, onde se diz: "Estou perdido!", lá, onde todos os gritos por socorro são inúteis; lá onde não existe nem água nem pão; lá onde se ouve o rugir da morte bem próximo...) para ser testado pelo Diabo.

Só se sabe a verdade que mora dentro da gente quando a cebola chegou ao fim, e já não temos nenhum artifício de defesa, nenhum buraco onde nos esconder, nenhuma máscara de sorriso, nenhum desodorante que disfarce o mau cheiro, nenhuma barulheira de festa e de ação que nos distraia do encontro com o abismo.

Lá, no meio da dor, no hospital, fazendo estas meditações mefísticas, o toca-fitas tocava uma sonata de Beethoven. E me veio uma afirmação, que nem mesmo minha dor conseguiu silenciar: "Nem mesmo toda a dor do mundo poderá alterar este fato, que esta sonata é infinitamente bela, e o será por toda a eternidade, ainda que não reste ouvido algum para ouvi-la...".

Pois é, até fiquei agradecido ao martelo e à bigorna pelos pensamentos que me fizeram pensar...

O TERROR DO ESPELHO

Ao que tudo indica, comer um tijolo diariamente faz mal à saúde. Mais que dois maços de cigarro. No entanto, nunca encontrei médico que combatesse este pernicioso hábito. Falam do perigo do torresmo, das picanhas engorduradas, das frituras, do açúcar, da vida sedentária, da cerveja... Mas sobre o perigo da ingestão de tijolos o silêncio é total. Claro. Não é preciso. Ninguém deseja comer tijolos. A proibição aparece somente no lugar onde mora o desejo. Os bombeiros só são chamados quando existe incêndio. Está proibido (inutilmente) cobiçar a mulher (e o marido) do próximo. Porque se cobiça, é óbvio. E também está comandado honrar pai e mãe, porque, imagino, até os escritores sagrados sabiam sobre Édipo, a sinistra mistura de ódio e desejos proibidos que estão misturados nas relações entre pais e filhos. E se está proibido matar e roubar é porque estes desejos estão bem vivos dentro da gente. A proibição revela sempre a presença do seu oposto, no lado do avesso, escondido.

Vai isto como introdução à continuação de nossas meditações demonológicas, já iniciadas. Para absolver o Diabo de uma acusação injusta que sempre se lhe faz, de que ele coloca desejos impuros na cabeça dos pobres mortais. Nada mais longe da verdade. Este poder não lhe foi concedido. Não se pode colocar um desejo no coração de ninguém. O que se pode fazer é abrir as portas para que os que já existem, trancados e silenciados, apareçam na sala de visitas onde os convivas, na companhia grave de clérigos e princípios de moral, falam sobre as coisas com as quais todos concordam e que não fazem ninguém enrubescer. O Diabo não joga porcaria dentro da fonte. Ele só mexe no lodo que repousava no fundo da água limpa. E aí começam a surgir sapos, cobras, escorpiões – e o rosto de Narciso vira coisa feia.

Mas não é só isto que as artes do Diabo fazem aparecer. O fundo das águas é lugar encantado, onde moram também lindas criaturas, sereias, iaras, borboletas de asas coloridas, gaivotas planantes no ar, barcos à vela entrando no mar, e até mesmo uma bela adormecida. Vivem lá, submersas, esquecidas... Mas quem as submergiu? Nós mesmos. Algumas, por serem feias demais. Foram escondidas por vergonha, como antigamente se escondiam os urinóis nos criados-mudos. Outras, por serem belas demais, ousadas demais, livres demais, e faltar-nos coragem para tomá-las como companheiras: por medo de voar, por medo de navegar, por medo de amar. A beleza faz convites que assustam...

Pois é só isto que o Diabo faz: acorda os desejos que já moravam em nós. Ele não bota o ovo. Só quebra o ovo que nós botamos, para ver o que tem lá dentro, se vida ou morte.

Sutil. Sutilíssimo. Os textos sagrados dizem que a serpente era a mais sutil de todas as criaturas que Deus havia colocado no Jardim. Escorrega com fala mansa até o lugar onde moram os nossos desejos. Cheguei a pensar que ela foi o primeiro psicanalista, pois ambos estão à procura da mesma coisa: os desejos esquecidos.

É aí que começa a segunda parte da sua tarefa. Primeiro soltou os desejos. Depois, como sutil testador, nos coloca a questão: "Você sabe que não é possível ficar com todos. É preciso escolher. Se você tivesse de rejeitar todos, menos um, qual seria o escolhido? Onde está o seu coração? Qual é a sua verdade?". E começa a fazer como os oftalmologistas que colocam uma lente e depois outra no nosso olho e dizem: "Esta ou aquela?". O que é que você ama mais? Qual é a sua verdade? E nos vai despetalando, como quem despetala uma flor, para ver o que sobra, para ver o que somos. Pois somos o que desejamos. A alma é um espaço onde se ouvem as mais distintas melodias, selvagens ritmos de tambores, cósmicos corais gregorianos, bandas de rock metaleiro, flautas doces, canções de ninar, canções, de amar, marchas militares – tudo ao mesmo tempo. E o Diabo nos faz decidir: "Esta ou aquela?". Afinal, qual é a sua?

E chegamos então a esta estranha conclusão: o testador está a serviço do amor. Vai nos obrigando a decidir. Na medida em que decidimos, os contornos de nosso rosto vão ficando cada vez mais claros, refletidos na água da fonte.

Álvaro de Campos tem um verso que diz mais ou menos assim: "Sou o intervalo entre o meu desejo e aquilo que os desejos dos outros fizeram de mim". Intervalo, um espaço indefinido onde a minha verdade se perdeu, enfeitiçada pelo pedido dos outros. Os outros pedem que não sejamos o que somos; que sejamos só o que eles desejam. E ficamos sem rosto. Só máscaras. Cebolas sem cerne, só casca. O Diabo nos coloca entre o martelo e a bigorna e vai nos forçando a tomar decisões. Pode ser que, ao final, tenhamos a experiência suprema de horror. Quando, diante do espelho, não vemos rosto algum, apenas os rostos de outros. Acho que é por isto que todo mundo fala mal do Diabo: porque, além de ser ferreiro de martelo e bigorna, é também especialista em beleza, com espelho na mão. E o reflexo no espelho dói mais que o martelo na bigorna...

O OUTONO

Foi-se, finalmente, o Verão, não sem antes fazer algumas grosserias e malcriações: trovejou, relampejou, choveu, inundou. Não queria ir embora. Compreendo. Queria ficar para ver e namorar o Outono, que é muito mais bonito que ele. Verão, quarentão: Recusava-se a aceitar os sinais da passagem do tempo. Não queria dizer adeus. Gostaria de ficar. A vida é tão boa! Mas o tempo é implacável. O Sol lhe disse que a hora do seu adeus havia chegado. Foi se inclinando no céu, suas viagens cada vez mais curtas, as noites mais longas, o crepúsculo chegando mais cedo, as manhãs chegando mais tarde. O vento antes convidava a que se tirasse a camisa. Agora ele causa arrepios e chama os agasalhos das gavetas onde dormiam. O céu fica mais azul. Deve ter sido numa tarde de Outono que os Beatles compuseram aquela balada que canta "*... because the sky is blue it makes me cry...*". E o verde das plantas fica mais verde. No Verão o excesso de luz ofusca as cores. No Outono a luz fica mais mansa e as cores desabrocham como flores. O Verão é inquieto. Tudo nele convida a sair e a agir. O Outono é tranquilo, introspectivo, convida ao recolhimento e à meditação. É um convite ao pensamento.

Gosto especialmente das suas tardes. O Verão é estação do meio-dia. O Outono vive mais ao sol que se põe. E como são belos os dois, Outono e tardes. Há uma pitada de tristeza misturada no ar. "O que é bonito enche os olhos de lágrimas", diz a Adélia. Os dois se parecem porque os dois estão cheios de *adeus*.

A tarde

... é este sossego do céu
com suas nuvens paralelas
e uma última cor penetrando nas árvores
até os pássaros.
É esta curva dos pombos, rente aos telhados,
este cantar de galos e rolas, muito longe;
e, mais longe, o abrolhar de estrelas brancas,
ainda sem luz...

Na cidade onde eu vivi, no interior de Minas, ao crepúsculo se tocava a *Ave Maria*, e era como se toda a natureza parasse e rezasse. Eu gostava de ficar olhando para as árvores: havia uma imobilidade absoluta no ar. Nem um único tremor perturbava a tranquilidade pensativa das folhas. E as nuvens ao poente se coloriam de verde claro, passando pelos amarelos, laranjas e vermelhos, até o roxo, que se preparava para desaparecer na escuridão. Tudo belo. Tudo triste. E pensamos pensamentos diferentes daqueles de durante o dia. Para Wordsworth, "as nuvens que se ajuntam ao redor do sol que se põe ganham seu colorido triste de olhos que têm atentamente observado a mortalidade dos homens".

O crepúsculo e o Outono nos fazem retornar à nossa verdade. Dizem o que somos. Metáforas de nós mesmos, eles nos fazem lembrar que somos seres crepusculares, outonais. Também somos belos e tristes... Como o Verão quarentão também nós não queremos partir... Paul Bouget nos diz:

Quando, ao sol que se põe, os rios ficam cor rosa
e um leve tremor percorre os campos de trigo,
parece das coisas surgir uma súplica de felicidade
que sobe até o coração perturbado.
Uma súplica de degustar o encanto de se estar no mundo
enquanto se é jovem e a noite é bela.
Pois nós vamos,
como se vai esta onda:
Ela, para o mar,
nós para a sepultura.

Quem quer que pare para ouvir as vozes do Outono e da tarde perceberá que, de dentro da sua beleza, nos falam a nossa vida e a nossa morte. Nada mórbido. Só podem viver bem aqueles que aprendem a sabedoria que a morte ensina.

Foi assim que o professor de literatura, no filme *Sociedade dos poetas mortos*, iniciou o aprendizado dos seus alunos. Vocês se lembram? Levou-os até uma fotografia onde se encontravam, imobilizadas sobre o papel, pessoas. Agora todas estavam mortas. Também nós, um dia. A lição da poesia é que é preciso contemplar o crepúsculo no horizonte para se sentir a beleza incomparável do momento. Cada momento é único. Não há tempo para brincadeiras. *Carpe diem*: colha o dia, como algo que nunca mais se repetirá, como quem colhe um crepúsculo, "antes que se quebre a corrente de prata, e se despedace a taça de ouro...". Beba cada momento até as últimas gotas. É preciso olhar para o Abismo face a face, para se compreender que o Outono já chegou e que a tarde já começou. Cada momento é crepuscular. Cada momento é outonal. Sua beleza anuncia seu iminente mergulho no horizonte.

Quando o sol está a pino estas ideias não nos perturbam. Tudo parece estar bem. Há muito tempo ainda. As rotinas do trabalho ocultam a nossa verdade. Mas elas não podem impedir nem que a tarde chegue, com suas cores de adeus, nem que o Outono chegue, anunciando a proximidade do inverno. E eles nos forçam a ter pensamentos diferentes, pensamentos de solidão. São mestres silenciosos. Se prestarmos atenção e ouvirmos o que nos dizem, ficaremos sábios. Porque sabedoria é isto: contemplar o Abismo, sem ser destruído por ele. Nas palavras de Rilke, "conter a morte, a morte inteira, docemente, sem se tornar amargo".

A REVELAÇÃO

A revelação acontece de repente, sem avisar. É bem verdade que diariamente nos olhamos no espelho. Mas este olhar diário é um ver sem perceber.

Por muitos anos sabia que meus cabelos estavam caindo. Notava que minhas entradas iam ficando maiores. Mas continuava a penteá-los normalmente, sem notar que o repartido se aproximava cada vez mais da orelha. Eu era um caso de charmosos cabelos ralos. O espelho me dizia, mas eu não acreditava. O momento da revelação aconteceu no Recife, numa roda de repentistas. Um deles, pra ser gentil, improvisou-me um verso, cantando-me como *doutor careca*. Desde este dia nunca mais me olhei no espelho da mesma maneira. Percebi que era inútil continuar a lutar com o repartido. Mas não liguei muito, consolando-me com a lembrança de que um dos maiores heróis da mitologia, Ulisses (não o de Brasília, mas o da *Odisseia*...) era careca também. E como Penélope o amava!

Por vezes a revelação terrível nos chega sob a forma de um elogio. "Puxa, como você está conservado!" Ninguém que me veja todo dia vai me dizer uma coisa destas. O espanto ante o meu surpreendente estado de conservação só pode existir em alguém que não me via há muito tempo, e que esperava me encontrar num estado mais avançado de deterioração. Tais experiências de espanto e os elogios que as revelam ocorrem, preferencialmente, nas reuniões de família, eventos raros que geralmente acontecem nos enterros, e nos reencontros para a comemoração dos 25 anos de formatura. Ao ouvir tal cumprimento, lembro-me sempre dos pepinos *conservados* ao poder de fervura, vinagre e vácuo, e que, sem o auxílio destes artifícios, há muito teriam apodrecido. É como se o elogio contivesse uma pergunta sobre o truque físico-químico que tornou possível a farsa da minha aparência conservada. Terá sido plástica ou dieta macrobiótica? Mas, olhando ao redor, compreendemos que não podemos estar muito diferentes dos outros.

Mas nenhuma destas revelações jamais me impressionou, até que levei aquele murro na cara. Isto aconteceu já faz alguns anos. Eu estava leve e feliz em São Paulo. Tomei o metrô. O carro estava lotado. O que não me incomodou nem um pouco. Encostei-me num daqueles canos verticais e me entreguei a um dos meus passatempos favoritos: observar os rostos das pessoas. Os rostos sugerem muitas histórias. E assim fui, de rosto em rosto, até que os meus olhos se encontraram com outros olhos que me observavam. Com certeza aquela pessoa tinha um passatempo semelhante ao meu: estava tentando adivinhar as histórias que moravam em mim. Uma jovem, de fisionomia tranquila e quase sorridente. Os seus olhos não se desviaram e, por um momento, eu me senti feliz. Foi então que eu levei o murro. Seu quase sorriso se transformou em sorriso, seus olhos olhando nos meus: levantou-se e ofereceu-me o seu lugar.

O seu gesto não admitia contestações. Sua terrível gentileza (ela não imaginava o quão terrível era a sua gentileza!) me obrigava. Assentei-me. Não olhei mais para os seus olhos para que ela não percebesse o meu espanto. Sabia que ela tinha gostado de mim. Caso contrário não me teria olhado daquele jeito manso e não me teria oferecido o lugar. Só que ela gostou de mim de um jeito inesperado, gostou de mim de um jeito como eu não queria ser gostado. Vi, refletida nos seus olhos, uma imagem minha que eu nunca vira. Talvez eu me parecesse com o seu pai (se vivo ou já morto não posso saber). Ou talvez eu simplesmente representasse uma outra idade, digna de uma deferência especial por parte dos mais novos. Afinal de contas a velhice é a idade quando fica difícil sustentar o peso do corpo sobre as pernas. Ela, jovem, podia ficar de pé; eu, velho, merecia estar assentado. A sua terrível gentileza me havia colocado longe, muito longe dela, num mundo à parte.

Teria sido muito mais fácil enfrentar uma grosseria. Se não tivesse feito o gesto gentil, eu teria ficado na ilusão e carregaria comigo aquele momento de felicidade. Mas ela não era boa em adivinhar os segredos da alma. Fez o gesto, levei o murro e a revelação aconteceu. Vi-me, no espelho honesto do seus olhos, velho.

Mas não pensem que ir ficando velho é ruim. Tem as suas vantagens. Um amigo meu me disse, em meio a risadas, que estava preparando uma lista dos projetos que estava engavetando, em decorrência da idade. Desistira de saltar da pedra da Gávea, em asa-delta. Não pensava mais em descer os Alpes, esquiando. Não esperava encontrar o seu nome entre os jogadores convocados para a seleção brasileira de voleibol. E, sobretudo, já não fazia planos de *affair* amoroso com a Bruna Lombardi.

Ir ficando velho é desistir de pegar as estrelas, muito altas, longe no futuro. Agora é o tempo da felicidade. Cada novo dia é um milagre de graça, uma taça de prazer que deve ser bebida até o fim, sem deixar para amanhã. *Tempus fugit*! Portanto, *carpe diem* – colha o dia que se inicia como quem colhe uma flor que nunca mais se repetirá.

Vamos, não chores!
A infância está perdida

A mocidade está perdida
Mas a vida não se perdeu.
O primeiro amor passou,
O segundo amor passou,
O terceiro amor passou.
Mas o coração continua.
Perdeste o melhor amigo,
Não tentaste qualquer viagem.
Não possuis casa, navio ou terra.
Mas tens um cão...

Que imagem mais fiel de felicidade, poderia haver? Um cão é a ternura – você pode estar certo disto – que nunca o abandonará. Metáfora do amor incondicional, do olhar que sempre perdoa, da presença que está sempre ali. Perceber isto, eu acho, é ficar um pouco mais sábio.

APOSENTADO

Por mais que procurasse só consegui encontrar uma: a de Quincas Berro d'Água. Os feitos de homens aposentados não são bons para se fazer literatura. Faltam-lhes os ingredientes que dão sabor a uma narrativa movimentada. Já não se prestam façanhas atléticas, estão fora da briga pelo poder e não são os tipos ideais para as grandes aventuras amorosas. O Quincas Berro d'Água foi uma exceção. Homem pacato, de hábitos parecidos aos de boi de carro, acostumado a puxar a carga sem reclamar, obediente ao ferrão, assim era o silencioso Quincas, fiel funcionário público que ao fim do mês entregava o salário inteiro para a mulher, de voz ardida e fina, característica que passara para a filha, sua fiel aliada.

O Quincas vivia assim, ruminando sua imensa solidão. Jamais passaria pela cabeça de ninguém que ali dentro daquele homem prestes a se aposentar moravam sonhos jovens de liberdade e de amor. A revelação aconteceu no dia em que se cumpriram os dias para a sua aposentadoria. Quincas voltou para casa, do mesmo jeito de sempre, silencioso, andar arrastado, nada fazendo suspeitar o que iria acontecer em instantes. Foi para o quarto. A mulher e a filha pensaram que iria botar o pijama e os chinelos, o único uniforme próprio de alguém que se aposenta. Pois não é que o Quincas sai de lá, momentos depois, com uma malinha na mão? "Onde é que você pensa que você vai?", a voz ardida da mulher verrumou-lhe os tímpanos, no que foi seguida pelo chocalhar de guizos da filha viperina. Quincas não respondeu. De dentro dele saiu um grito selvagem que elas nunca imaginaram que houvesse: *Jararacas*! E desapareceu, sem outra explicação, porta afora. Começa aí, então, a história de um aposentado feliz... Quem quiser saber o resto, que leia o texto do Jorge Amado.

Lembrei-me de uma outra história de aposentado. Uma peça de teatro que vi, muitos anos atrás, o nome eu me esqueci. A cena acontecia num banco. Poderá haver lugar mais chato para se passar a vida? Números, números, números – só números. Pois o clima era de festa, pois um dos funcionários, já calvo e de dentadura, iria se aposentar. Era o assunto de todos. Finalmente o fim do sofrimento estava chegando para um deles. Dali para frente estaria livre, totalmente livre, para fazer o que quisesse. Nada de horários, cheques, duplicatas, promissórias, contas que tinham que dar certo: poderia dormir quanto quisesse, fazer o que lhe desse na telha. O desejo que por 35 anos ficara preso dentro da gaiola iria voar pelo espaço sem fim. Os outros sorriam de inveja e faziam as contas para saber quantos anos lhes faltavam ainda para este dia portentoso.

O segundo ato acontecia depois da sua aposentadoria. Pois sabem o que ele passou a fazer, depois de aposentado? Todos os dias, sem faltar um só, ele ia para o banco e lá ficava, sem mesa onde sentar, sem ter o que fazer, olhando, olhando, com saudades e um ar triste no olhar... Coitado! Passara tantos anos na gaiola que desaprendera a voar. Não sabia o que fazer com o infinito.

Não é por acaso que, com frequência, os aposentados morram logo. Um amigo meu, com quem me encontrei na feira (um dos meus passatempos favoritos. É bom ver as bancas de verduras, as frutas, as flores, os peixes...), sabendo que eu ia me aposentar, advertiu-me logo: "Olha, não vá morrer...". Estremeci ante esta advertência-profecia, mas tranquilizei-me pensando que isto não iria acontecer comigo. Tranquilizei-me, *pero no mucho*...

Comecei a pensar nesta coisa estranha, que justamente o evento da liberdade para se fazer o que se quiser possa ser o começo do morrer. A situação dos homens é pior que a das mulheres, eu acho. Nossos arranjos sociais decretaram que a casa pertence à mulher. Lembro-me, lá em Minas, que os feriados eram o terror das *donas de casa* (nunca ouvi esta expressão ser aplicada a um marido, dono de casa...). Os maridos ficavam como almas penadas, andavam pelos cômodos, metiam-se pela cozinha, davam palpites. Até que eram expulsos daquele lugar que não lhes pertencia, com uma afirmação sobre que todos concordavam: "Lugar de homem é na rua!". E lá iam eles para as praças, sem saber o que fazer.

Divisão de espaços que vem, com certeza, dos tempos em que os homens eram caçadores: o seu lugar era o mundo infinito. Um homem *doméstico* é o homem que perdeu a dignidade do caçador. As feministas, com toda razão, se rebelaram contra o uso da palavra *doméstica* para descrever a profissão da mulher que não quis se aventurar pelas caçadas. Usa-se, agora, uma expressão mais delicada: *do lar*. Mas é a mesma coisa. O que se está dizendo é que a casa é dela. Já imaginaram a mesma expressão sendo usada para se descrever o *status* de um homem aposentado?

Coitado do aposentado... Fica sem lugar. Acho que é por isso que ele morre logo. Na casa, não sabe o que fazer. Não aprendeu a habitar aquele espaço. Falta-lhe *know-how* e autoridade. Para fazer tem de pedir permissão. Se, por acaso, resolve visitar o seu emprego antigo, sua aparição causa o espanto de uma alma do outro mundo. Dias atrás, na Unicamp um professor me perguntou: "Que é que você faz aqui? Está perdido?". E a gente compreende que não houve choro nem vela: as coisas continuam normais, sem a gente por lá.

Aconselho a todos os que vão se aposentar, portanto, a que se livrem das fantasias de que a aposentadoria vai ser o início do tempo da felicidade. Até que pode ser... Mas, para isto, é preciso que o passarinho engaiolado não tenha se esquecido da arte de voar. E se, me perguntarem como é que um passarinho engaiolado pode não se esquecer da arte de voar, a resposta é muito simples: é preciso não se esquecer da arte de sonhar. Quem é rico em sonhos não envelhece nunca. Pode mesmo ser que morra de repente. Mas morrerá em pleno voo. O que é muito bonito.

AS VELAS

O Natal está chegando. Fico com medo. Medo da loucura. Natal é o tempo em que as pessoas ficam perturbadas. Cantam Noite de Paz. Mas seus corpos e almas estão em guerra, possuídos pela agitação e pela pressa. Quando o Deus-Menino nasce, o Diabo se põe a correr.

Valho-me das minhas velas para exorcizar a loucura. Por um ano inteiro eu as deixei esquecidas no escuro de um armário. Um sopro meu as fizera adormecer. E assim ficaram, como a Bela Adormecida, à espera da chama que as faria acordar. Parecem mortas. Mas sei que o toque do fogo as fará viver de novo. Aguardam a ressurreição. Como são humanas! Parecem-se conosco. Também os nossos corpos endurecidos podem arder de novo. Para isto basta que sejam tocados pela magia do fogo!

Preciso delas, das minhas velas. Suas chamas fiéis me tranquilizam. "Quer ficar calmo?", perguntava o velho Bachelard. "Respira suavemente diante da chama leve que faz sossegadamente seu trabalho de luz."

Tão diferentes das lâmpadas! Seria possível, por acaso, amar uma lâmpada? Que emoções mansas podem nascer de sua luz forte e indiferente? Quem as chamaria de minha lâmpada? Todas as lâmpadas são iguais. Ao morrerem queimadas nenhuma tristeza provocam. Só o incômodo de terem de ser trocadas por outras.

As velas são diferentes. Choram enquanto iluminam. Suas lágrimas nascidas do fogo transbordam e escorrem pelo seu corpo. Choram por saber que para brilhar é preciso morrer. Não é possível contemplar uma vela no seu trabalho de luz sem sentir um pouco de tristeza. Sua chama modesta, modulada por indecisões e tremores, faz-me voltar sobre mim mesmo. Também sou assim. Minha chama vacila ao ser tocada pelo vento. Por isto posso chamá-la de minha vela. Somos feitos de uma mesma substância. Temos um destino comum.

As velas contam estórias diferentes. Cada uma tem um nome que é só seu. Uma delas, eu a coloquei no gargalo de uma garrafa de vinho vazia. Suas lágrimas coloridas escorreram pelo vidro e se endureceram. Não há lenço que as enxugue. Ficaram ali como lembranças de momentos passados que aconteceram à sua luz e à sua intimidade. Presenças de uma ausência, um tempo perdido cristalizado... Meu olhar atento passeia sobre as suas rugas. Noto que há cores diferentes. Aquela garrafa vazia já segurou muitas velas que se foram. Há lágrimas verdes, vermelhas e amarelas que se misturam e se recobrem num mesmo tecido de cera. Gerações que se consumiram no mesmo destino de brilhar mansamente. Procuro a vela que deveria estar ali para ser acordada. Percebo que ela não mais existe. Foi se consumindo, consumindo, até que seu último pedaço se derreteu. Não derramou nenhuma lágrima. Simplesmente caiu dentro da garrafa e desapareceu. Percebo o formato feminino da garrafa: é um útero, com sua abertura vaginal apontando o alto, como torre de uma catedral.

Pensei que talvez a vela me estivesse dizendo que morrer é como um nascer às avessas: voltar ao ventre materno. Fiquei comovido, porque, de fato, uma luz que luzia em momentos passados deixou de luzir. Mergulhou o vazio. Aquela vela não mais se acenderá. Resta apenas a memória dos seus momentos de luz. Penso no que deverei fazer. Deixarei a garrafa assim como está, com suas lágrimas coloridas, e o vazio? Ou colocarei ali uma outra vela? Não. A beleza daquela garrafa se deve justamente ao testemunho das sucessivas gerações que deixaram suas vidas gravadas no vidro. É preciso que a chama continue a brilhar. Quando uma vela se acaba outra deve tomar o seu lugar.

Outra vela tem vergonha de chorar. Escondeu-se dentro de um copo metálico que não deixa transbordar as suas lágrimas. Chora silenciosamente, sem alarde. Impedidas de transbordar, as lágrimas se transformam num lago interior plano e luminoso de cera derretida, onde a chama se reflete. O choro tem este poder: pode tornar a luz ainda mais luminosa. A vela se recusa a abrir mão da sua dor: guarda as suas lágrimas, mantém-nas presas ao seu corpo, abraça-as, reconhece-as como parte de si mesma. Assim fazem os poetas... Sua luz é modesta: escondida pelo metal, furta-se ao olhar. Mas a sua carne de cera está cheia de um delicioso perfume de canela. Quando ela chora, o ar se enche de beleza. Penso que esta vela, talvez, tenha sido feita para os que não podem ver. Sua luz perfumada tranquiliza até mesmo aqueles que têm os seus olhos fechados.

Tomo nas mãos uma outra vela. É quase tão grossa como uma garrafa. Em sua cera ocre um artista gravou, em alto relevo, folhas e flores. Mesmo apagada ela é bela. Mãos sensíveis que a toquem podem sentir os seus desenhos. A chama fraca foi derretendo o seu corpo, bebendo a sua carne. A chama brilha de dentro do vazio que o fogo abriu. A pele esculpida, longe demais do calor, sobreviveu intacta. Contemplada de longe, dá uma impressão de solidez e permanência. Mas basta que se acenda a chama para que se perceba a sua fragilidade. De tão gasta pelo fogo, a sua pele ficou translúcida e a luz se filtra através de sua carne efêmera. Que magnífica lição para os velhos: somente os corpos gastos pelo fogo do amor podem se tornar transparentes!

O amor prefere a luz das velas. Talvez porque seja isto tudo o que desejamos de uma pessoa amada: que ela seja uma luz suave que nos ajude a suportar o terror da noite. Sob a luz do amor que ilumina modesta e pacientemente, o escuro já não assusta tanto. É noite de paz!

Não deixe que as suas velas se apaguem! A escuridão é solitária e triste! Vamos! Toque-as novamente com a chama do amor!

TEMPO DE MORRER

Tenho muitos medos. Mas nunca havia pensado naquele, o maior de todos. Bastou, entretanto, que a repórter formulasse a pergunta para que ele aparecesse claro e terrível diante de mim. "Que é aquilo de que você mais tem medo?" E, de repente, vi a cena: um corpo de olhos semicerrados que nada veem, respiração maquinal, tubos pelas narinas e pela boca, o coração batendo aos estímulos elétricos, os bips dos monitores dizendo de uma vida que se mantinha naquele corpo onde outrora houvera Vida, mas que agora tudo ignora do que circula ao seu redor... E respondi com uma certeza que raramente tenho: "Aquilo de que mais tenho medo é que me obriguem a viver quando meu corpo só deseja morrer...".

Deram o nome de "recursos heroicos" à parafernália tecnológica que se usa para manter vivo o corpo que só deseja morrer... Mas o herói é alguém pujante de vitalidade, olhos brilhantes, o corpo pulsante de desejo e com a vontade de gestos belos. Que semelhança de herói há nos "recursos heroicos"? Nenhuma. Melhor seria que a isto se desse o nome de "recursos do desespero". Quem é o herói? Certamente que não a pessoa que só deseja partir. Anunciam que com tais portentos da ciência a vida triunfa sobre a morte. Parece-me, ao contrário, que é a morte que triunfa sobre a vida.

Pois, o que é vida? Parece que já não mais sabemos. Saberemos ainda o que é viver? Talvez seja por isto, por nos havermos esquecido do que é a vida, que perdemos a sabedoria do saber morrer. Lembro-me dos versos de Eliot:

Todo o nosso conhecimento nos leva mais próximos
da nossa ignorância,
toda a nossa ignorância nos leva para mais próximos da morte,
uma proximidade da morte que não é proximidade de Deus.
Onde está a vida que perdemos ao viver?
Onde está a sabedoria que perdemos no conhecimento?

Por havermos perdido a sabedoria do viver não nos atrevemos a dar a resposta e pedimos que as máquinas respondam por nós.

Pensei nos Direitos Humanos e me perguntei se alguma previsão teria sido feita no sentido de se proteger o direito de se morrer com dignidade. Porque morrer com dignidade deve ser um direito garantido a todos aqueles que vivem. A morte é parte da vida, o último gesto que se faz, e é indigno que este direito seja retirado de alguém...

"Reverência pela vida": foi com estas palavras que Albert Schweitzer sintetizou a essência da sua filosofia, aprendida no mistério das noites africanas, onde a natureza inteira pulsa como um coração vivo, dos mais ínfimos dos insetos, pelos segredos da selva, até os maiores dos animais. Nada de mais sagrado existe. Nada que possa ser objeto de uma reverência maior.

Mas, o que é a vida? Vida são olhos que saúdam as madrugadas, acariciam as noites, acolhem sorrisos; ouvidos que recebem o barulho dos ventos, ouvem gemidos de dor, escutam palavras de amor; bocas que experimentam o deleite dos frutos e dos beijos e que recitam poemas; narizes que sentem o cheiro da maresia, da comida que se cozinha no fogão e dos corpos suados. Pernas que andam pelos bosques e levam mensagens a lugares distantes; braços que plantam jardins, e que se estendem para os abraços e para as lutas. A vida é um poema enorme, uma explosão de gestos e de sentidos espalhados pelo espaço. Mas como tudo o que é humano, a vida é também cansaço que anseia pelo sono. Como diz o poeta sagrado, "para todas as coisas há o seu tempo, debaixo do sol; há um tempo de nascer e um tempo de morrer". Saber viver e também saber morrer. Cada poema se inclina para a sua última palavra; cada canção se prolonga na direção do seu silêncio. Última palavra em que continuam a reverberar todas aquelas que a antecederam: silêncio onde ressoam os sons que o prepararam. Toda a vida é uma *preparatio mortis* e é por isto que a última palavra e o último gesto são um direito que ninguém lhe pode roubar. Ao corpo pertence o direito de dizer: "É hora de partir". Por isto que Manuel Bandeira declarou que o seu último gesto deveria ser um poema. Pois era disto que sua vida estava cheia, de poesia:

Assim eu quereria meu último poema:
Que fosse terno dizendo as coisas mais simples e menos intencionais
Que fosse ardente como um soluço sem lágrimas
Que tivesse a beleza das flores quase sem perfume
A pureza da chama que consome os diamantes mais límpidos
A paixão dos suicidas que se matam sem explicações.

As mães sabem quando as crianças pedem para dormir, mesmo sem elas pronunciarem uma única palavra. As mães conhecem a linguagem silenciosa dos corpos dos seus filhos. E quando este momento chega, o único gesto de amor é tomá-las ao colo e fazê-las dormir, sem medo. A vida é uma criança. Brinca pela manhã, trabalha ao meio-dia, ama pela tarde. Mas chega a hora do crepúsculo, a hora do cansaço... Ah! Que coisa mais terrível não poder descansar. Fernando Pessoa sofria pensando no cansaço sem remédio das estrelas:

Tenho dó das estrelas
Luzindo há tanto tempo,
Há tanto tempo...
Tenho dó delas.
Não haverá um cansaço das coisas
De todas as coisas,
Um cansaço de existir,
De ser,
Só de ser,
O ser triste brilhar ou sorrir...
Não haverá, enfim,
Para as coisas que são,
Não a morte, mas sim,
Uma outra espécie de fim,
Ou uma grande razão –
Qualquer coisa assim
Como um grande perdão?

Não são as estrelas; somos nós que precisamos, assim, de uma espécie de fim... como o poema ou a canção. E quem, neste mundo, teria o direito de roubar de alguém o direito de dizer "É hora de partir...".

Mas, para isto – para não sermos destruídos pelos sentimentos de culpa ao concordar com o pedido do corpo que pede para partir – seria necessário que soubéssemos ouvir o pedido silencioso das crianças que querem dormir. Mas quem ainda retém esta sabedoria? A medicina, já faz muito, não ouve o que o corpo diz. Não é mais capaz de, decifrar as mensagens enigmáticas dos rostos. Na verdade, nem é preciso olhar para os olhos. Olha para os exames, examina os gráficos, apalpa os órgãos: mensagens bioquímicas, revelações elétricas, transparência de interiores... Conhece a linguagem das máquinas; há muito desaprendeu a linguagem do rosto, dos olhos, da voz... "Doutor, eu tenho medo...” Aí as ideias se embaralham. Sobre isto nada se aprendeu. (Não haverá, nos que lutam contra a morte, um medo terrível de ouvir a sua voz?) Além do que, é irrelevante... Aos que lutam contra a morte nada se ensinou da sabedoria de ouvir a vida e de falar sobre seu último desejo, partir...

Não, não quero recursos heroicos. Só quero que a dor não me contorça para poder ouvir um último poema, para ouvir uma última sonata. Somente assim o adeus ficará coisa doce, manifestação da vida no seu último momento, e o vazio que se segue se encherá da doce nostalgia que tem o nome de saudade... É preciso reaprender a sabedoria sagrada: se há um tempo de nascer, há também um tempo de morrer. Que o último momento seja belo como um pôr do sol, longe do frio elétrico-metálico das máquinas...

O MÉDICO

... e, de repente, um canto da minha memória que o esquecimento escondera se iluminou, e eu o vi de novo, do jeito como o havia visto pela primeira vez: o quadro. Vejo-me, menino, na sala de espera do consultório médico. Estou doente. Meus olhos assustados passeiam pelos objetos à minha volta. Até que o encontram. Pendia, solitário, na parede branca. Levanto-me e me aproximo, para ver melhor. Leio o nome da tela: *O médico.*

É a sala de uma casa. Cena familiar.

Tudo está mergulhado na sombra, exceto o lugar central, iluminado pela luz de um lampião. Mas a luz é inútil. O lugar mais iluminado é o mais obscuro: uma menina doente. A clareza dos detalhes só serve para indicar o lugar onde o mistério é mais profundo. Quando a luz se acende sobre o abismo, o abismo fica mais escuro. Seus olhos estão fechados, mergulhados num esquecimento febril. Nada sabe do que acontece à sua volta. Por onde andará ela? Infinitamente longe, num lugar ignorado, onde gesto algum poderá tocá-la. Seu braço pende, inerte, sobre o vazio.

O lampião ilumina a menina doente. Mas os olhos de quem examina a tela com atenção desconfiam e percebem a presença de uma outra luz. Do lampião a querosene sai a luz que ilumina a menina. Mas da menina doente sai a luz que ilumina a cena inteira: luz triste, luz sombria, que inunda a sala com o seu mistério: a luz da morte. Também a morte tem a sua luz.

O artista escolheu de propósito. Se, ao invés de uma menina, fosse um velho, a morte seria uma outra. A morte tem muitas faces. A morte dos velhos, por dolorosa que seja, é parte da ordem natural das coisas: depois do crepúsculo segue-se a noite. A morte dos velhos é triste mas não é trágica. É como o acorde final de uma sonata. O fim é o que deveria ser. Mas a morte de um filho é uma mutilação.

A luz da vida é alegre, brincalhona, esbanja cores, vive de uma exuberância que pode se dar ao luxo de desperdiçar. Todos os objetos ficam coloridos ao seu toque, os grandes e os pequenos, os importantes e os insignificantes. A luz da morte, entretanto, só ilumina o essencial. Naquela sala se sabe a verdade essencial. O universo inteiro está encolhido. O centro absoluto, em torno do qual giram todos os mundos, é uma menina doente. De que valem as montanhas e os mares, os homens, seus negócios, seus amores e suas guerras, se naquele quarto uma menina luta com a morte?

Num canto, o casal, pai e mãe, imagens da impotência. Nada sabem fazer, nada podem fazer. A mãe está debruçada sobre uma mesa. Seu rosto está mergulhado no vazio. Só lhe resta chorar. O marido, de pé, pousa a mão sobre o ombro da esposa. Mas imagino que ela não a sente. Naquele momento ela não é nem esposa nem dona de casa: é mãe, apenas mãe. O gesto do marido, que quererá dizer? Será uma tentativa de consolo, como se dissesse: "Eu estou aqui"? Pobre consolo! Ou será o contrário, uma discreta busca de apoio, como se dissesse: "Também eu estou desamparado!"? Tudo é *uma despedida pronta a cumprir-se.* E o amor, a coisa mais alegre, se revela como a coisa mais triste. Diante da morte, o amor ganha cores trágicas.

O pai está vestido com um pesado capote. É estranho! Por que tanto agasalho dentro de casa? O capote nos conta de sua viagem pelo frio, o desamparo em busca de socorro. Doutor, venha depressa! A minha filha... Voltou e nem se lembrou de tirá-lo. Pois que importa o desconforto de um capote dentro de casa quando a filha luta com a morte?

Ao lado da menina, um estranho, assentado: o médico. Pois o médico não é um estranho? Estranho sim, pois não pertence ao cotidiano da família. E, no entanto, na hora da luta entre o amor e a morte, é ele que é chamado.

O médico medita. Seu cotovelo se apoia sobre o joelho, seu queixo se apoia sobre a mão. Não medita sobre o que fazer. As poções sobre a mesinha revelam que o que podia ser feito já foi feito. Sua presença meditativa acontece depois da realização dos atos médicos, depois de esgotados o seu saber e o seu poder. Bem que poderia retirar-se, pois que ele já fez o que podia fazer... Mas não. Ele permanece. Espera. Convive com a sua impotência. Talvez esteja rezando. Todos rezamos quando o amor se descobre impotente. Oração é isto: esta comunhão com o amor, sobre o vazio... Talvez esteja silenciosamente pedindo perdão aos pais por ser assim tão fraco, tão impotente, diante da morte. E talvez sua espera meditativa seja uma confissão: Também eu estou sofrendo...

Amei este quadro a primeira vez que o vi, sem entender. Talvez ele seja a razão porque, quando jovem, por muitos anos, sonhei ser médico. Amei a beleza da imagem de um homem solitário, em luta contra a morte. Diante da morte todos somos solitários. Amamos o médico não pelo seu saber, não pelo seu poder, mas pela solidariedade humana que se revela na sua espera meditativa. E todos os seus fracassos (pois não estão, todos eles, condenados a perder a última batalha?) serão perdoados se, no nosso desamparo, percebermos que ele, silenciosamente, permanece e medita, junto conosco.

Hoje o quadro já não mais se encontra nas salas de espera dos consultórios médicos. A modernidade transferiu a morte do lar, lugar do amor, para as instituições, lugar de poder.

E os médicos foram arrancados desta cena de intimidade e colocados numa outra onde as maravilhas da técnica tornaram insignificante a meditação impotente diante da morte.

Mas a bela cena não desapareceu. Sobrevive em muitos, como memória e nostalgia, em meio às frestas das instituições. A estes médicos, cujos nomes não é preciso dizer (pois eles sabem quem são), que silenciosamente meditam diante do abismo misterioso da tragédia humana, ofereço a minha própria meditação impotente. Olho para eles com os mesmos olhos do menino que, pela primeira vez, se defrontou com a beleza desta cena, na sala de espera de um consultório.

A INVEJA

Leio o poema de Ricardo Reis. As palavras correm como as águas de um rio. Tudo nelas é tranquilidade. Falam da felicidade que nos é possível:

Vem sentar-te comigo, Lídia, à beira-rio.
Sossegadamente fitemos o seu curso e aprendamos
Que a vida passa, e não estamos de mãos enlaçadas.
(Enlacemos as mãos.)
Amemo-nos tranquilamente...
Colhamos flores. Pega tu nelas e deixa-as
No colo, e que o seu perfume suavize o momento...

É meu costume ir fazendo marcas à margem das páginas para ajudar a memória a reencontrar os textos que me fizeram pensar. Mas o meu lápis não fez nenhuma marca ao lado destas coisas bonitas que o poeta escreveu. Ele só deixou o seu sinal ao lado de uns versos estranhos, de sentido duvidoso, que adverte contra os "desassossegos grandes" que perturbam a tranquilidade dos dois namorados à beira-rio. É o verso que fala das "invejas, que dão movimento demais aos olhos".

Sei que olhos agitados revelam um coração perturbado. Quando o coração está tranquilo, tranquilos também ficam os olhos. Mas eu não sabia que a inveja tem o poder para agitar o olhar.

Que a inveja seja doença dos olhos, o próprio nome está dizendo, pois a palavra se deriva do latim *in-videre*, que significa literalmente "olhar enviesado", "olhar torto", por oposição ao olhar franco, que nada tem a esconder. Uma coisa ruim mora no olho invenjoso, coisa de dar medo, com poder para destruir tudo aquilo de cara, mau-olhado: as plantas murcham, os bichos morrem, as pessoas adoecem. Por isso que contra os olhos invejosos se inventaram todos os tipos de defesa: caveiras chifrudas de boi, rezas, gestos mágicos, galhos de arruda e guiné, banhos de ervas aromáticas, defumações com aromas especiais, passes espirituais.

A se acreditar nisso, mais misteriosa ainda fica a afirmação do poeta de que "as invejas dão movimento demais aos olhos", pois o olhar enviesado e mau não é olhar de muitos movimentos. Ele olha fixo, querendo penetrar fundo. Demora-se sobre o objeto como varejeira que põe seus ovos sobre a ferida.

Foi uma estória que me contaram que me revelou que o poeta estava certo. É sobre um homem que encontrou uma garrafa na qual vivia um gênio que tinha o poder para realizar todos os seus sonhos. Dito de outra forma, é sobre um homem que encontrou o céu – pois céu é justamente isto, o lugar onde os nossos sonhos são realizados. O gênio saiu da garrafa onde estivera adormecido e lhe disse: "Tenho o poder de transformar em realidade todos os seus sonhos, sem nenhum limite. É só você me contar o seu sonho, e ele acontecerá".

O homem começou então a pensar nas coisas maravilhosas que iria pedir: um corpo jovem, sem dores ou doenças, cheio de beleza, energia, casas nos lugares mais lindos das montanhas e das praias, com jardins mais bonitos que os da *casa da Dinda*; adegas onde se encontrariam os vinhos mais finos; cozinhas onde se fariam as mais deliciosas comidas; música; livros; amigos; amor... Ah! Ele era um homem sábio e refinado e sabia das coisas que fazem a felicidade do ser humano. E assim os seus olhos iam tranquilamente passeando pelos seus sonhos, antegozando a felicidade ilimitada que iria experimentar em alguns momentos.

Foi quando o gênio lhe disse: "Há apenas um detalhe que me esqueci de mencionar, porque acho que é irrelevante. Tudo o que você tiver, o seu pior inimigo vai ter em dobro...". Foi o gênio falar e aconteceu com os olhos do homem aquilo que o poeta tinha dito: eles, que até então descansavam nas coisas que iriam fazê-lo feliz além de tudo o que imaginara, começaram a olhar para as coisas que seu inimigo iria ter. E quando voltaram de novo para suas próprias coisas, aquelas mesmas que, apenas um momento antes, o haviam feito o homem mais feliz do mundo, descobriu que todas elas, neste segundo em que seu olhar dançara, haviam apodrecido. A comparação é um verme que faz apodrecer o fruto delicioso que estávamos prestes a comer. A inveja nos deixa de mãos vazias. É importante que se entenda logo para se compreender o fim da estória:

"Já sei o que quero pedir", disse o homem ao gênio, depois de longa meditação.

"Pois faça o seu pedido", disse o gênio.

"Me fure um olho..."

AIDS

Pediram-me para falar sobre a Aids na linguagem da poesia. Parece coisa difícil, mas não é. Basta saber olhar para as coisas. A gente olha, espera e, de repente, a coisa fica transparente. Começamos a ver coisas que não estão lá. O meu amigo artista olhou para a bosta de vaca e viu um leve móbile de círculos dourados luminosos. Neruda olhou para uma cebola comum e seus olhos viram escamas de cristal numa rosa de água... A este exercício se dá o nome de sonhar. A fala poética é a linguagem dos sonhos.

Eu disse a palavra terrível e o que vi foram olhos amedrontados fitos num "horizonte aproximado e sem recurso"... Pensei então que falar sobre Aids é falar sobre o terror da morte que se aproxima. Mas logo o meu sonho se alterou e vi outros olhos nos quais o mesmo horizonte aparecia. Mas ele tinha a beleza do crepúsculo. Pensei então que a morte, terrível sempre, pode ser bela.

Um amigo que tive, Alexander Schmemann, teólogo poeta, descobriu que no seu cérebro havia um tumor inoperável. Compreendeu que a hora do adeus se aproximava. Disse então à sua mulher: "Chegou o momento de celebrar as liturgias do crepúsculo". E a partir deste momento, até o fim, entregou-se às coisas que julgava essenciais: a música, a poesia, a contemplação da natureza, a tranquila conversa com os poucos amigos que convidava para um copo de vinho. Um outro conhecido, sabedor de que a leucemia lhe dava apenas um ano de vida, e que não era mais o tempo dos adiamentos, comprou o sítio com que sempre sonhara, e viveu com sua mulher um amor como nunca amara.

Milan Kundera diz que começamos a amar uma mulher no momento em que associamos o seu rosto a uma metáfora poética. A mesma coisa se pode fazer com a morte. E este é o sentido de todas as palavras sagradas da religião: um enorme esforço para revestir o terrível com a beleza da poesia. E aquele que vai morrer aparece então com a beleza do navegante solitário que entra com seu pequeno barco no mar absoluto. Ou como o caminhante que vai sozinho pelos caminhos que levam ao alto da montanha coberta de brumas. Ou como aquele que deixa as trilhas luminosas onde todos andam e atende ao convite do mistério dos bosques escuros.

A morte tem dois lados. Um é a sua realidade física. E nisto todas elas se parecem. O outro são as palavras que dizemos uns aos outros, diante dela. É aqui que se encontra a diferença.

A Aids faz as pessoas falarem em sussurros – como se estivessem diante do terrível vergonhoso. Por longos e divergentes que sejam os seus caminhos, todos conhecem a sua filiação: nasceu de dois amantes abraçados num abraço de amor amaldiçoado e proibido. Lugar de segredo, deveria ter permanecido fechado, como um quarto proibido. Todos temos um quarto secreto onde ninguém deve entrar: mora ali a nossa intimidade mais profunda, que nenhum olhar deve contemplar. Por isso nos cobrimos de roupas, para proteger a nossa nudez dos olhos cruéis dos estranhos.

Mas a doença arromba a porta, e transforma a intimidade numa sala de museu, aberta à visitação pública. E quando isto acontece, aquilo que foi vivido, como paixão, se transforma em pornografia. A pornografia não está no abraço mas nos muito olhos que o contemplam, como espetáculo.

A Aids tem, assim, duas dores: a dor da enfermidade e a dor dos olhos dos outros. A sua morte, então, se cobre com as palavras de vergonha, palavras mal-ditas que devem ser ditas num sussurro. E até mesmo os religiosos a chamam de punição divina pelo amor amaldiçoado...

Depois, é a dor da solidão. Nascida da intimidade do amor proibido, a sua revelação torna proibida qualquer intimidade, o doente de Aids vive isolado numa bolha de assepsia hospitalar. Não para sua proteção. Ele não precisa ser protegido. São os outros que devem ser protegidos contra o seu amor, pois o seu amor é mortal. E ao redor do seu corpo, silenciosamente, vão se enrolando os fios, teias, um poema terrível que se transforma em jaula, e que diz: "Abandonai toda esperança de amor, vós que aqui estais...". Qualquer proximidade, qualquer contato, qualquer carinho, qualquer abraço estão para sempre proibidos.

Por vezes me vem a ideia louca de que todos estamos contaminados com Aids. Pois no corpo de todos nós a morte faz também silenciosamente o seu trabalho. Os exames de sangue nada revelam, mas o espelho diz a verdade...

O que nos diferencia não é que alguns sejam sadios e outros enfermos. Estamos todos infectados com a mesma doença. Por isso somos todos irmãos. A diferença está nos poemas que recitamos diante do horizonte que se aproxima. E é com estas palavras que a vida trava a sua batalha contra a morte. Pois o corpo, como diz o texto sagrado, não se alimenta só com o pão – e remédios –, mas com toda palavra que sai da boca de Deus. A linguagem de Deus é a poesia. É a beleza que faz acordar em nós o desejo de viver.

Quem sabe haverá poetas que saberão dizer aos doentes de Aids as palavras que os arrancarão dos túmulos onde os nossos olhos os colocaram. E então até os outros se alimentarão da mesma comida...

A SOMBRA

Pois é, andei doente, coisa repentina e assustadora, e enquanto os médicos do hospital me viravam do avesso para saber o que estava acontecendo com o meu corpo, eu tinha de me virar sozinho para dar conta da turbulência que aquilo tudo produzia na minha alma.

Sozinho mesmo, não importando a presença das pessoas, por queridas que sejam; todo doente está irremediavelmente sozinho, dentro de uma bolha transparente e impenetrável. E não adianta segurar a mão: nem mesmo o carinho tem a chave para entrar nessa solidão. É a solidão da morte. Pois é isto que faz a doença, mesmo a mais banal (pois nunca se sabe ao certo...): ela nos obriga a pensar sobre a possibilidade de morrer.

Por isso que as conversas ao redor da cama do doente levam sempre a marca da dissimulação: todos sentem a presença da Sombra, mas fazem tudo para ignorá-la. Lembrei-me destes versos do T.S. Eliot, e pensei que eles poderiam ser recitados após uma visita a um doente num hospital:

Quem é este terceiro que anda sempre ao seu lado?
Quando eu conto, somos só eu e você.
Mas quando olho pra frente, ao longo da estrada,

Há sempre um outro andando ao seu lado
deslizando, encapuzado,
Não sei se homem ou mulher
– Quem é este, que está no seu outro lado?

Não, não pensem que só são pensamentos mórbidos. O diálogo com a morte provoca inesperadas associações de humor. Confesso, por exemplo, que ao me ver submetido àqueles horríveis e humilhantes exames, passei a ter um carinho especial pelo Papa. Não que, *in extremis*, eu tenha me convertido, e passado a encontrar conforto em seus monótonos sermões pronunciados em voz clerical. O que aconteceu foi que, num daqueles momentos, veio-me subitamente a ideia: "Fizeram isto com o Papa também..." E comecei a rir. Separados pela cabeça e pelos ensinamentos, a doença nos unia por outros e estranhos sacramentos! Concluí: pelo menos uma coisa a gente tem em comum... Na eventualidade de nos encontrarmos, no futuro, teremos muito o que falar sobre escatologia, se não no seu sentido de ciência teológica das últimas coisas, pelo menos no seu sentido segundo que a ambiguidade preserva e o *Aurélio* esclarece...

Difícil de acreditar é que o inevitável diálogo com a morte a que a doença nos obriga possa trazer alegrias. Pois foi justamente o que aconteceu.

Não sei se vocês já perceberam que as pessoas acham muito mais fácil exprimir seus ódios e raivas que seus gostares e afetos. Já me perguntei várias vezes sobre as razões deste aleijão absurdo, e a única explicação que me vem à cabeça é que, ao fazer explodir seus ódios e raivas, as pessoas se sentem como tigres, temíveis e fortes animais de caça. Enquanto que, ao mostrar o seu gostar, elas se sentem como aves indefesas, tolas e ridículas, prisioneiras na arapuca do outro. E para não se sentirem presas, preferem deixar preso o gostar, no silêncio...

Mas quando a gente fica doente, a situação se altera. De um doente ninguém tem medo. Ele está preso dentro da bolha invisível e impenetrável. Por isso não há perigo em lhe dizer o que se sente...

Foi muita gente que me telefonou. Gente que não conheço, nunca vi e, possivelmente, nunca verei. Se eu fosse político, ou candidato a qualquer coisa, ia logo pensar que estavam plantando verde para colher maduro. Coitados dos políticos! Nunca podem acreditar na amizade pura que nada espera receber. Mas como eu sou como aquela árvore que não servia para nada e que os lenhadores deixaram no alto da montanha, foi me dada a graça de poder acreditar no que me dizem. Sei que dizem o que me dizem sem esperar coisa alguma. Só querem se assentar à minha sombra.

Pois é só isto que conhecem de mim: a minha sombra... E talvez seja por isto que me amam: por só conhecerem a minha sombra. Minha sombra não sou eu. São estas coisas que escrevo. Dizia-me uma destas pessoas anônimas, que me chamaram ao telefone, uma senhora de 70 anos: "Não quero morrer! A vida é tão boa!". Achei que ela resumiu, com estas palavras, esta sombra em que nos assentamos, e que nos une numa teia invisível de amizade: partilhamos, juntos, do gozo de viver! Em cada um de nós vive um Zorba que, no momento de morrer, agarrado à janela, olhou para o horizonte que se abria lá fora e gritou: "Um homem como eu teria de viver mil anos!".

VENHA ME VISITAR

Para o Caio, que morreu fazendo o que amava.

O dia amanheceu luminoso. Na minha janela se abriu a primeira *manhã gloriosa* azul, flor que Walt Whitman dizia trazer-lhe mais felicidade de que todos os livros de filosofia juntos. Olhei para o céu, azul como a minha flor. Pouquíssimas nuvens, ancoradas naquele mar de tranquilidade. As nuvens sempre me fizeram sonhar. Desde menino gostava de me deitar na grama e ficar olhando para elas, imaginando que eram bichos, navios, perfis de seres fantásticos, árvores de florestas celestiais. Olhei para uma delas e tive a impressão de que era você – um motociclista que voava pelas trilhas do mistério sem fim.

Quando minha mãe morreu, uma velhinha de 93 anos, meu irmão me disse que ele sofria imaginando aquele corpo tão frágil e desprotegido caminhando pelos espaços frios e vazios... A morte de alguém faz isto: a gente fica perguntando: "Por que caminhos andará?". Confesso que acho mau gosto e falta de imaginação o costume de visitar o túmulo dos mortos. Alguns acham que isso é prova de amor. Penso o contrário. Pois é como se imaginássemos que eles estão ali, numa mortalha eterna de terra e pedra. Prefiro imaginar que andam por outros lugares.

Por onde andará você? A Cecília Meireles fez a mesma pergunta diante da avó morta: "Onde ficou o teu outro corpo? Na parede? Nos móveis? No teto?" Mas estes limites, se tinham podido acolher aquele corpo enquanto vivo, eram pequenos demais para ele depois de morto. *Su cadáver estaba lleno de mundo*, diz Vallejo num verso magistral. Seu outro corpo agora navegava junto das nuvens brancas, seguia o desenho das pombas voantes, andava pelos pomares derramados de frutos, assentava-se na praia, diante do mar lampejante...

Eu nada entendo de coisas do outro mundo. Mas não aprovo o que ouço dos especialistas no assunto. Dizem que lá todos ficam graves, falam sobre coisas importantes e andam de maneira compassada e solene, como convém a criaturas etéreas. Eu acho que é diferente: a gente volta a ser criança, sem ter de ouvir a voz da mãe que diz: "Cuidado para não cair!", "Não vá sujar a roupa!", "Está na hora de dormir!". No outro mundo são as crianças que dão as ordens... Isto não é invenção minha. Está lá no Evangelho, saindo da boca do divino Filho de Deus, que disse que ir para o céu é o mesmo que ficar criança de novo. O que provocou o espanto do grave Nicodemos, que entendia tudo ao pé da letra, sem ter alma de poeta, e imaginou logo que os velhos teriam de entrar de novo na barriga da mãe. Ele não sabia que a criança nunca morre, vive eternamente dentro de nós, trancafiada, e que é de dentro de nossa burrice adulta que ela precisa nascer... Deus é uma criança. Sabia disso o Alberto Caieiro, que dizia que "a Eterna Criança é o Deus que faltava, o humano que é natural, o divino que sorri e brinca. E assim vamos pelo caminho que houver, saltando e cantando e rindo e gozando o nosso segredo comum que é o de saber, por toda a parte, que não há mistério no mundo e que tudo vale a pena...".

Você já era sexagenário. Tinha um amigo que ficou sexagenário e o terror dele não era a idade. Tinha era medo de ser atropelado e sair no jornal: "Sexagenário atropelado". Você imaginou o terrível que teria sido se no seu necrológio tivesse aparecido: "Sexagenário morre em desastre de moto"? Ninguém se atreveu, pois todos sabiam que você era uma criança.

Por onde andará você? Sei que você deve estar andando por onde sempre quis andar: de moto, lá pelas trilhas da Mantiqueira, olhando horizontes longe e riachos perto... A criança volta sempre para os lugares onde mora a alegria de brincar. E é com esta bela terra que brincamos.

Fui na minha estante e de lá tirei aquela famosa carta de um chefe índio, dirigida ao presidente dos Estados Unidos. Os brancos queriam comprar-lhe umas terras. Ele se horrorizava com a ideia, pois, para eles, índios, a terra era parte eterna da sua alma. "Os mortos do homem branco esquecem sua terra de origem, quando vão caminhar entre as estrelas. Nossos mortos nunca se esquecem esta bonita terra, pois ela é a mãe do homem vermelho. Somos parte da terra, e ela é parte de nós. As flores perfumadas são nossas irmãs, o cervo, o cavalo e a grande águia são nossos irmãos. Os cumes rochosos, os sulcos úmidos das campinas, o calor do corpo do potro, e o homem – todos pertencem à mesma família."

Acho que você não vai caminhar entre as estrelas. Longe demais, solitárias demais, quentes demais... Você vai preferir as mesmas trilhas no meio das matas, os mesmos riachos, os mesmos pinheiros...

A morte é muito estranha. Dona de uma sabedoria insuperável, tem sido para mim uma mestra das coisas da vida. Aprendo muito com ela. Mas quando deixa de ser mestra de sabedoria e passa a fazer coisas, se atrapalha toda. Se tivesse pedido o meu conselho, você ainda estaria vivo. Teria passado às mãos dela uma longa lista de prioridades que já tenho preparada, pessoas que, se fossem para o outro mundo, este ficaria muito melhor. Todo mundo tem uma listinha semelhante... Mas ela nunca pede conselho para ninguém. E assim você foi, quando deveria ter ficado.

Eu também amo os mesmos lugares que você amou. Tenho até um lugarzinho – nem preciso lhe dar o mapa, pois agora você deve saber tudo. Apareça. Não terei medo. Tenho medo mesmo é de me encontrar com alguns vivos dos quais a morte se esqueceu...

SOBRE O RISO E A ALEGRIA

Porque, se não o sabem, disto é feita
a vida, só de momentos. Não
percam o agora.
Jorge Luis Borges

"Carpe diem!"

Temos sentido muito pouca alegria. Este,
somente, é o nosso pecado original.
Nietzsche

A ALEGRIA

Pouco antes de morrer, Roland Barthes pronunciou a sua conferência inaugural como professor do College de France. Sabia que estava ficando velho, mas saudava a velhice como tempo de recomeço, o início de uma *vita nuova*. E ao terminar sua fala fez uma confissão pessoal espantosa. Disse que havia chegado o momento de entregar-se ao esquecimento de tudo o que aprendera. Tempo de desaprender. As cobras, para continuarem a viver, têm de abandonar a casca velha. Também ele tinha de abandonar os saberes com que a tradição o envolvera. Somente assim a vida poderia brotar de novo, fresca, do seu corpo, como a água brota das profundezas onde estivera enterrada. E disse então que este era o sentido de ficar sábio:

Nada de poder;
um pouquinho de saber;
e o máximo possível de sabor...

Sendo aquela a ocasião em que estava sendo inaugurado como professor, ele dizia que era isto que pretendia ser, daquele momento para frente: um mestre do prazer, aquele que se dedica a ensinar a seus jovens alunos o gosto bom das coisas! Quem toma uma decisão como esta está afirmando que o prazer é a única coisa que vale a pena. Vivemos para o prazer. O que é espantoso é que tal revelação lhe tenha sido feita quando ele já deixara para trás os anos da juventude. Talvez que a sabedoria seja coisa crepuscular. Lembro-me das palavras de Hegel, que disse isso de forma poética: "a coruja de Minerva só abre as suas asas quando chega a penumbra que antecede o anoitecer...".

Há pessoas que só conseguem ver direito depois que a velhice chega. Como se pode ver neste texto erroneamente atribuído a Jorge Luis Borges: "Se eu pudesse viver de novo a minha vida, na próxima trataria de cometer mais erros. Relaxaria mais. Seria mais tolo ainda do que tenho sido. Na verdade, bem poucas coisas levaria a sério. Contemplaria mais entardeceres, subiria mais montanhas, nadaria mais rios, começaria a andar descalço no começo da Primavera e continuaria assim até o fim do Outono. Porque, se não o sabem, disto é feita a vida, só de momentos. Não percam o agora".

Palavras que não se espera da boca de alguém mais velho. Nenhuma advertência solene. Nenhum conselho grave. Nenhuma palavra sombria. Somente o convite à leveza. A vida vista com uma imensa simplicidade: encontros sucessivos e inesperados com a alegria, que está sempre ao alcance da mão. Efêmera, em suas cores crepusculares, mas deliciosa como uma taça de vinho ou um beijo... Daí o conselho: "não percam o agora". Ele nunca mais se repetirá.

Fernando Pessoa diz a mesma coisa num dos seus poemas:

Dia em que não gozaste não foi teu:
Foi só durares nele.
Quanto vivas
sem que o gozes, não vives.
Não pesa que ames, bebas ou sorrias:

Basta o reflexo do sol ido na água
de um charco, se te é grato.
Feliz o a quem, por ter em coisas mínimas
seu prazer posto, nenhum dia nega
a natural ventura.

É preciso muito pouco. A alegria está muito próxima. Mora no momento. Nós a perdemos porque pensamos que ela virá no futuro, depois de algum evento portentoso que mudará a nossa vida.

Mas *vida*: o que é isso? Como diz o Riobaldo, "vida é noção que a gente completa seguida assim, mas só por lei de uma ideia falsa. Cada dia é um dia". E a gente fica esperando que ela haverá de chegar depois da formatura, do casamento, do nascimento, da viagem, da promoção, da loteria, da eleição, da casa nova, da separação, da morte do marido, da morte da mulher, da aposentadoria... E ela não chega porque a alegria não mora no futuro mas só no agora. Ela está lá, modesta e fiel, no espaço da casa, no espaço da rua. Se não a encontramos, não é culpa dela. É culpa nossa. Nossos pensamentos andam muito longe dos lugares onde ela mora e, por isso, nossos olhos não a podem ver. Como dizia Mário Quintana, "quantas vezes a gente, em busca da ventura, procede tal e qual o avozinho infeliz: em vão, em toda parte, os óculos procura, tendo-os na ponta do nariz!".

Velhice é quando se percebe que não existe no futuro nenhum evento portentoso por que esperar, como início da felicidade. Mas isso não será verdadeiro da vida inteira? Por isso, talvez, os jovens devessem aprender com os velhos que é preciso viver cada dia como se fosse o último. A alegria mora muito perto. Basta esticar a mão para colhê-la, sem nenhum esforço. Mas, para isso, seria necessário que os nossos olhos fossem iluminados pela luz do crepúsculo.

"SE É BOM OU SE É MAU..."

Quando eu contava estórias para minha filha – ela era bem pequena ainda – tinha uma pergunta que ela sempre me fazia: "Esta estória aconteceu de verdade?". Eu não tinha jeito de responder.

Se fosse o Peter Pan adulto, tal como aparece no *Hook – A volta do Capitão Gancho*, eu diria logo que tudo era só uma mentirinha sem importância que eu estava inventando para que ela dormisse logo e eu pudesse voltar a me ocupar das coisas importantes do mundo real do dinheiro, da política, do trabalho, das rotinas da casa. Diria a ela que o livro que me importava, aquele que eu realmente lia, livro de cabeceira, era a agenda de capa verde. Nas suas páginas se escrevia a realidade. Mas ela era *ainda* muito criança – com o tempo cresceria e aprenderia a ler a literatura do real que só pode ser lida nas agendas. *Por enquanto*, ela podia se entregar às palavras mentirosas das estórias, só para que o sono viesse mais depressa...

Mas eu não era o Peter Pan adulto e o que eu tinha para dizer eu não dizia, pois achava complicado demais para a cabecinha dela. O que eu gostaria de dizer a ela e não disse é que *as estórias que eu contava não aconteceram nunca para que acontecessem sempre. A Terra do Nunca é a Terra do Sempre*, que existe eternamente dentro da gente.

Já o que aconteceu de fato, documentado, fotografado, comprovado pela ciência e escrito com o nome de História – isso aconteceu do lado de fora da gente e, por isso, não acontece nunca mais. Está morto e enterrado no passado, e não há feitiço que faça ressuscitar. Mas aquilo que não aconteceu nunca, aquilo que só foi sonhado, é aquilo que sempre existiu e que sempre existirá, que nem nasceu nem morrerá, e a cada vez que se conta acontece de novo...

Se ela me tivesse feito a pergunta de um jeito diferente, se me tivesse perguntado se acreditava na estória, ah!, eu teria respondido fácil: "Mas é claro que acredito!". Pois eu só acredito no que não aconteceu nunca, no que é sonho, pois os sonhos, é disso que somos feitos.

A estória da Branca de Neve não aconteceu nunca, mas todos nós somos, sempre, uma Madrasta que se vê triste diante do espelho e manda a menina, nós também, para ser morta na floresta. A estória de João e Maria não aconteceu nunca, mas em toda criança existe a fantasia terrível do abandono. A estória de Romeu e Julieta não aconteceu nunca, mas queremos ouvi-la de novo, pois dentro de nós existe o sonho do amor puro, belo e imortal. E é por isso que sou incuravelmente religioso, porque nas estórias da religião, que não aconteceram nunca, os sonhos e pesadelos da alma se acham refletidos. Acredito porque sei que são mentiras. Se fossem verdade, não me interessariam.

As estórias são contadas como espelhos, para que a gente se descubra nelas. Os orientais são os grandes mestres nessa arte, esquecida dos ocidentais porque cresceram, como o Peter Pan do filme *Hook*, e passaram a acreditar somente naquilo que a agenda conta, sem perceber que, porque ela diz a verdade, mente.

Quero contar para vocês a estória que mais tenho contado – não aconteceu nunca, acontece sempre. Um homem muito rico, ao morrer, deixou suas terras para os seus filhos. Todos eles receberam terras férteis e belas, com exceção do mais novo, para quem sobrou um charco inútil para a agricultura. Seus amigos se entristeceram com isso e o visitaram, lamentando a injustiça que lhe havia sido feita. Mas ele só lhes disse uma coisa: "Se é bom ou se é mau, só o futuro dirá". No ano seguinte, uma seca terrível se abateu sobre o país, e as terras dos seus irmãos foram devastadas: as fontes secaram, os pastos ficaram esturricados, o gado morreu. Mas o charco do irmão mais novo se transformou num oásis fértil e belo. Ele ficou rico e comprou um lindo cavalo branco por um preço altíssimo. Seus amigos organizaram uma festa porque coisa tão maravilhosa lhe tinha acontecido. Mas dele só ouviram uma coisa: "Se é bom ou se é mau, só o futuro dirá". No dia seguinte seu cavalo de raça fugiu e foi grande a tristeza. Seus amigos vieram e lamentaram o acontecido. Mas o que o homem lhes disse foi: "Se é bom ou se é mau, só o futuro dirá". Passados sete dias o cavalo voltou trazendo consigo dez lindos cavalos selvagens. Vieram os amigos para celebrar esta nova riqueza, mas o que ouviram foram as palavras de sempre: "Se é bom ou se é mau, só o futuro dirá". No dia seguinte o seu filho, sem juízo, montou um cavalo selvagem. O cavalo corcoveou e o lançou longe. O moço quebrou uma perna. Voltaram os amigos para lamentar a desgraça. "Se é bom ou se é mau, só o futuro dirá", o pai repetiu. Passados poucos dias vieram os soldados do rei para levar os jovens para a guerra. Todos os moços tiveram de partir, menos o seu filho de perna quebrada. Os amigos se alegraram e vieram festejar. O pai viu tudo e só disse uma coisa: "Se é bom ou se é mau, só o futuro dirá...".

Assim termina a estória, sem um fim, com reticências... Ela poderá ser continuada, indefinidamente. E ao contá-la é como se contasse a estória de minha vida. Tanto os meus fracassos quanto as minhas vitórias duraram pouco. Não há nenhuma vitória profissional ou amorosa que garanta que a vida finalmente se arranjou e nenhuma derrota que seja uma condenação final. As vitórias se desfazem como castelos de areia atingidos pelas ondas, e as derrotas se transformam em momentos que prenunciam um começo novo. Enquanto a morte não nos tocar, pois só ela é definitiva, a sabedoria nos diz que vivemos sempre à mercê do imprevisível dos acidentes. "Se é bom ou se é mau, só o futuro dirá."

O CACHIMBO DO MEU PAI

Tinha planejado escrever sobre outra coisa e já me dirigia para o computador com o esboço na mão quando senti um cheiro de fumaça de cachimbo que me deu saudades. Estranhei, porque ninguém estava fumando cachimbo. Só o meu pai. Mas ele já morreu, faz muito tempo. Acontece que a memória dele mora numa fotografia, que coloquei numa das minhas estantes. Ele está sentado numa poltrona, o olhar perdido num lugar indefinível, cachimbo na boca. Gostava de cachimbar. Acho que era menos pelo gosto na boca que pela magia da fumaça. Azulada, tranquila, espiralada, ela convida ao devaneio. Meu pai era um sonhador. Cachimbava para sonhar. As espirais de fumaça perfumada que saíam do seu cachimbo me fizeram sonhar também. E as ideias que eu aprisionara no papel se apagaram e me deu vontade de contar coisas. O que não é fácil. Lembrei-me do Riobaldo, que sabia que "contar é muito dificultoso. Não pelos anos que já se passaram", ele explicava, "mas pela astúcia das coisas passadas de fazer balancê, de se remexerem dos seus lugares". E conclui: "A lembrança da vida da gente se guarda em trechos diversos; uns com os outros acho que nem não se misturam. Contar seguido, alinhavado" (era isto o que eu tinha planejado), "só sendo mesmo coisas de rasa importância. Tem horas antigas que ficaram muito mais perto da gente do que outras de recente data. O senhor mesmo sabe; e, se sabe, me entende. Toda saudade é uma espécie de velhice".

Tudo se remexeu dentro de mim com o cheiro da fumaça que saía do cachimbo do meu pai, na fotografia. Senti saudades. Fiquei velho.

Meu pai foi muito rico. Meio dono do mundo. Lá pelos anos 20, exportador de café, dois automóveis, fábricas, fazendas, cinema, muitas casas, dinheiro para fazer o que quisesse. Implicou com uma rua da cidade que era muito estreita. Pois não teve dúvidas. Comprou todas as casas de um lado e botou todas abaixo – só para realizar o sonho de alargar a rua. A rua ainda está lá, larga do jeito como ele a fez. Mas aí veio a crise de 1930. Perdeu tudo. Tudo mesmo. Perdeu até a casa em que morava. Tivemos de nos mudar para uma casa que um cunhado lhe emprestou.

Era uma velha fazenda mineira, daquelas que não têm nem água encanada, nem luz elétrica, nem privada, nem forro, e de noite a gente escuta o barulho dos ratos andando pelas madeiras do telhado. A água, minha mãe ia buscar na bica, perto do monjolo. Não me esqueço nunca do cheiro que lá havia, cheiro que não existe mais e que continua a morar em mim como nostalgia. Tenho tristeza de não poder contar como ele era. Não era, na verdade, o cheiro. Era tudo que vinha junto: a água correndo no rego, o perfume do capim gordura, o barulho do monjolo batendo. Cheiro de milho fermentado – cheiro ruim e que só é bom para quem tem as memórias que tenho. De noite, era o cheiro de querosene que queimava nas lamparinas. Destes tempos tenho uma memória dolorida. Havia, não muito longe, uma mata, uma parede compacta e misteriosa de árvores. Os grandes, para me ver sofrer, diziam que ali morava um menino, sozinho... "Quer ver?", eles perguntavam. E gritavam, mãos em concha: "Ô, menino!" E o eco respondia, com voz sumida:

"Ô, menino..." Eu nada sabia de ecos e ficava a imaginar um menino como eu, sozinho e perdido na noite escura da mata. E não podia dormir, de tristeza...

Vi meu pai, homem acostumado às coisas caras que o dinheiro compra, pegar no cabo da enxada e no cabo da foice, roupa ensopada de suor, ao sol do meio-dia. Mas eu nunca o vi abatido – coisa muito estranha para um homem de 40 anos que, depois de ter tudo, tinha de recomeçar do nada, abandonado pelos amigos que sorriam e apareciam quando ele era rico. Mas, como diz a Cecília, "quando a desgraça é profunda, que amigo se compadece?" Acho que ele tinha uma rara, talvez louca capacidade para encontrar alegria mesmo em coisas absolutamente simples. Talvez, se os caminhos do destino tivessem sido outros, ele poderia ter sido um poeta. Pois, a se acreditar em Blake, é isto que é a alma da poesia: "Ver um mundo num grão de areia e um céu numa flor selvagem...".

Destes tempos de privação havia uma memória que nunca o abandonou e por mais que os trechos da vida passada se remexessem dos seus lugares e fizessem balancê, ela voltava sempre, e o seu rosto se transfigurava de alegria quando a recontava. Quando o sol queimava mais no meio do campo e o corpo suado pedia água, ele propositadamente adiava esse prazer. Ficava imaginando a água fresca, correndo da mina que se escondia à sombra das árvores. Somente quando a sede se tornava insuportável é que ele ia até a mina. E descrevia aquela cena inesquecível: ajoelhado na terra úmida, diante da água transparente, mergulhando nela a caneca para matar a sua sede.

Mudamo-nos da fazenda para uma cidadezinha que tinha trem de ferro. Meu pai resolvera recomeçar a vida como representante comercial e, como o tempo dos automóveis ficara para trás, ele teria de se valer da maria-fumaça e dos vagões de segunda classe. Nossa casa... Ah! Me lembrei daquela música: "Era uma casa muito engraçada, não tinha teto, não tinha nada. Ninguém podia entrar nela não, porque a casa não tinha chão...". Bem, teto e chão ela tinha. Mas mesa, não tinha não. Nossa primeira mesa foi feita assim: meu pai tirou uma porta das dobradiças e pregou-a sobre um caixote que conseguiu num armazém. Ela apresentava evidentes problemas de equilíbrio: se um distraído se apoiasse numa das suas extremidades, ela funcionava como gangorra e a comida voava. Nós, sabedores de que a comida era pouca, cuidávamos de não desequilibrar a mesa. Mas um amigo que nos visitou, num momento de eloquência se apoiou sobre ela, e lá se foi o nosso almoço. Guarda-roupa também não tinha não: eram cabos de vassoura encaixados nos ângulos das paredes.

Depois as coisas foram melhorando. Passamos a comer sobremesa de vez em quando. O que era uma festa. Guaraná e sorvete, só em ocasiões muito especiais, como os aniversários.

Mudamo-nos para o Rio. Meu pai teve chances de ficar rico de novo. Mas parece que ele não nasceu para isso. As coisas que lhe davam felicidade eram muito simples. Fumar *cachimbo*... Ver a chuva caindo sobre as plantas e dizer: "Veja como estão agradecidas...". Dormir, ouvindo a goteira caindo sobre uma lata. Sonhava com voltar para o interior e criar galinhas. E até tentou fazer isso, mas foi um fracasso. Porque ele nunca tratou as suas galinhas como possibilidades de lucro. Dava nomes a cada uma delas e ficava longamente a contemplá-las, ao fim do dia, procurando seus lugares nos poleiros, enquanto sonhava em meio às espirais de fumaça azulada.

Fiquei com saudades dele. E embora se possa dizer que ele fracassou, confesso que me maravilho diante do seu misterioso poder para encontrar beleza e felicidade diante das coisas mais simples da vida. Se céu houver, espero que lá haja enxadas e foices, e que o sol seja forte, e que os corpos fiquem suados, e que haja uma mina escondida no meio das árvores...

ANIVERSÁRIO

Minha mãe me ensinou que não é polido perguntar às pessoas sobre a sua idade. Eu lhe perguntei por que, mas ela não soube me explicar as razões. Nunca consegui entender essa regra da etiqueta pois não podia ver mal algum em querer saber sobre os anos de vida que uma pessoa acumulou. Foi só há umas poucas semanas que compreendi as boas razões que se escondem atrás desse tabu. É que qualquer que seja a resposta, ela é sempre mentirosa. Mesmo quando a conta está certa. Pois é assim que se obtém a resposta: somando os anos que já se passaram do ano do meu nascimento até o ano em que estou vivendo. Se digo que tenho 58 anos, esse número é obtido pela soma, um a um, dos anos que vão do dia do meu nascimento, em 1933, até hoje. A conta está certa, mas a resposta está errada. Pois 58 anos são, precisamente, os anos que eu não tenho. Cinquenta e oito são os anos que já se passaram, anos mergulhados no passado, anos com que não posso mais contar, anos que já se queimaram e que não mais se acenderão, como paus de fósforos riscados. Os anos de uma vida nunca se somam; eles sempre se subtraem.

Assim, a pergunta correta a ser feita, especialmente num aniversário, não é "quantos anos você está fazendo?", mas, antes, "quantos anos você está desfazendo?". E as respostas, para serem verdadeiras, terão de assumir a forma de “eu não tenho 25 anos”, “eu não tenho 37 anos”, “eu não tenho 72 anos”...

A etiqueta proíbe que se faça a pergunta terrível porque ela nos obriga a confessar o quanto de morte se acumulou em nosso corpo. Pois os anos somados são, na verdade, os anos de vida que foram subtraídos, o número dos anos que já morreram. A proibição tem sua razão: por detrás da pergunta sobre os anos de vida o que se está perguntando, mesmo, é sobre os anos de morte.

As liturgias de aniversário, de forma sub-reptícia, anunciam a verdade que a regra de etiqueta deseja esconder. Tanto assim que elegeram, como forma de celebrar o evento, o sopro das velas. Lá estão as velas, sobre o bolo, chamas acesas, no número exato dos anos vividos. Vem o aniversariante sorridente e inocente, sem saber direito o que está fazendo, e com um único sopro apaga as velas. Sobre o bolo ficam os pavios negros. De onde antes havia a chama, sobe agora para o alto o que restou da luz: um risco de fumaça negra. Todos riem, batem palmas e cantam.

Confesso que fico pasmo, sem perceber o que está acontecendo. Pois não há como negar: o apagar das velas é um símbolo da morte. Aqueles são os anos que já morreram. Uma vela que se apaga é uma vida que se vai. Penso que, se soubéssemos o que está acontecendo, todos haveríamos de chorar e lamentar.

Ah! Vida, vela, coisa frágil que se apaga com um simples sopro...

Aí eu pensei se não deveríamos inverter o ritual. Na sala escura e silenciosa um fósforo é riscado e uma vela é acesa – vela que nenhum sopro vai apagar, e que vai ficar brilhando por todo o tempo que durar a festa. Com o acender da vela explode a alegria, não pelos anos que foram desfeitos, mas por aqueles que estão à espera para serem vividos. Ao invés de soprar a vela, acender a vela...

E imaginei que cada pessoa deveria ter uma vela – a sua vela, vela que não se compra em pacotes, pois cada vida é única, diferente de todas as demais. A vela teria que ser feita, bem devagarinho, gota a gota, seguindo o ritmo do corpo que vai se formando dentro do corpo da mãe, célula a célula. Todos os que a amassem poderiam ajudar. Cada um que quisesse poderia derramar a sua cera derretida no corpo da vela, que iria crescendo, do lado de fora, enquanto a criancinha estava crescendo do lado de dentro.

Essa vela seria mais que uma vela. Seria uma oração. Teria uma estória. Teria um nome. Cada vela é um desejo de luz e de calor. Cada vela é um reconhecimento de que, para dar luz e calor, é necessário não ter pena do próprio corpo. A vela vive morrendo. Quem faz uma vela medita sobre a beleza e a tristeza da vida. E, com isso, aquele que a faz fica mais sábio. E que coisa melhor se pode oferecer a uma criança por nascer que a sabedoria daqueles que já nasceram? A vela seria um testemunho dos desejos dos que já vivem, oferecidos àquele que irá viver. Os desejos iriam dizer como a vela iria ser.

Há velas esguias que desejam subir: sonhos alados. Outras, redondas, são frutos encantados: sonhos de prazer. Dádivas luminosas aos olhos, são também dádivas perfumadas, delícias para o nariz. Que perfume deverá desprender ao se queimar? Canela? Jasmim? Cravo? Pêssego? As velas acariciam o corpo, mesmo quando os olhos se fecham. E as suas cores dirão das cores dos desejos daqueles que as fizeram. Pois a alma é colorida...

E quando a mãe der à luz o seu filho que chorará o seu primeiro choro de vida, a sua vela será acesa, e dará também a luz, como a mãe, e derramará a sua primeira lágrima, na cera derretida que escorre pelo seu corpo.

A cada aniversário que se celebrar, a vela sairá do seu lugar, cada vez menor, para ser de novo acesa, repetindo a eterna lição de que, se é verdade que a vida se apaga facilmente com o sopro de um vento, é verdade também que ela se acende de novo ao ser tocada pela chama...

ESCRITORES E COZINHEIROS

Tenho um sonho que, acho, nunca realizarei: gostaria de ter um restaurante. Mais precisamente: gostaria de ser um cozinheiro. As cozinhas são lugares que me fascinam, mágicos: ali se prepara o prazer. Mas para preparar o prazer, o cozinheiro deve ser psicólogo, um adivinho de desejos, conhecedor dos segredos da alma e do corpo. Mas não sei cozinhar. Acho que é por isso que escrevo. Escrevo como quem cozinha. Minha cabeça é uma cozinha. O cozinheiro cozinha pensando no prazer que sua arte irá causar naquele que come. Eu escrevo pensando no prazer que o meu texto poderá produzir naquele que me lê.

A relação entre cozinhar e escrever tem sido frequentemente reconhecida pelos escritores. É a própria etimologia que revela a origem comum de cozinheiros e escritores. Nas suas origens, sabor e saber são a mesma coisa. O verbo latino *sapare* significa, a um tempo, tanto *saber* quanto *ter sabor*. Os mais velhos haverão de se lembrar que, num português que não se fala mais, usava-se dizer de uma comida que ela *sabia bem*. Saber é experimentar o *gosto* das coisas: comê-las. O sábio é aquele que conhece não só com os olhos, mas especialmente com a boca. Quem conhece só com os olhos conhece de longe, pois a visão exige distância; muito de perto a gente não vê nada. Quem conhece com a boca conhece de perto, pois só se pode sentir o gosto daquilo que já está dentro do corpo.

Suspeito que Roland Barthes também tivesse uma secreta inveja dos cozinheiros. Se assim não fosse, como explicar a espantosa revelação com que termina um dos seus mais belos textos, *A lição*? Confessa que havia chegado para ele o momento do esquecimento de todos os saberes sedimentados pela tradição e que agora o que lhe interessava era "o máximo possível de sabor". Ele queria escrever como quem cozinha – tomava os cozinheiros como seus mestres. Ele queria ler como quem come uma comida deliciosa.

Mário Quintana também diz do seu sonho de produzir, com a escrita, uma coisa que fosse boa de ser comida e trouxesse deleite ao corpo:

Eu sonho com um poema
Cujas palavras sumarentas escorram
Como a polpa de um fruto maduro em tua boca,
Um poema que te mate de amor
Antes mesmo que tu lhe saibas o misterioso sentido:
Basta provares o seu gosto...

A ideia de *comer* me sugere uma associação deliciosa. Pois *comer* não se aplica só ao que acontece à mesa. *Comer* se usa também para descrever o que acontece na cama. *Comer* é fazer amor. O cozinheiro e o amante são movidos pelo mesmo desejo: o prazer do outro. A diferença está em que o amante oferece o seu próprio corpo para ser comido, como objeto de deleite. O escritor, à semelhança dos amantes, também oferece o seu corpo ao outro, como objeto de prazer. Só que sob a forma de palavra. Cada escritura é uma celebração eucarística: *Tomai, comei, isto é o meu corpo...*

A leitura tem de ser uma experiência de felicidade. Desejo o prazer do meu leitor. E cada leitor, como o sugeriu Barthes, impõe ao escritor uma condição para seu prazer: "O texto que o senhor escreve tem de me dar prova *de que ele me deseja*". É preciso que as "palavras façam amor", como o sugeriu André Breton. Por isso que Borges aconselhou a seus estudantes que eles só deveriam ler os textos que lhes dessem prazer: "Se os textos lhes agradam, ótimo. Caso contrário, não continuem, pois a leitura obrigatória é uma coisa tão absurda quanto a felicidade obrigatória". Não se pode comer por obrigação. Não se faz amor por obrigação. Não se pode ler por obrigação.

É esse o secreto desejo de cada escritor: o prazer do leitor.

Enquanto viajava liguei o rádio do meu carro e ouvi o anúncio de um curso de leitura dinâmica: a leitura sob o domínio da velocidade. Essa é a última coisa que um escritor pode desejar. Pois o prazer exige tempo. Quem está no prazer não deseja que ele chegue ao fim. Comer depressa, para acabar logo? Fazer amor depressa, para acabar logo? O prazer é preguiçoso. Arrasta-se. Demora. Deseja parar para começar de novo. E depois de terminado, espera pela repetição.

Essa é a razão por que eu gostaria de ser cozinheiro. É mais fácil criar felicidade pela comida que pela palavra... Os pratos de sua especialidade, o cozinheiro os sabe de cor. Já foram testados, provados, gozados. Basta repetir, fazer de novo o que já foi feito. Mas é justamente isso que está proibido ao escritor. O escritor é um cozinheiro que a cada semana tem de inventar um prato novo. Cada semana que começa é uma angústia, representada pelo vazio de três folhas de papel em branco que me comandam: "Escreva aqui uma coisa nova que dê prazer!" Escrever é um sofrimento. Todo texto prazeroso conta uma mentira. Ele esconde as dores da gestação e do parto. De vez em quando alguém me diz: "Como você escreve fácil!" Fico feliz. Alguém me confessou o seu prazer no meu texto. Mas sei que essa facilidade só existe para quem lê. O fogo que me queimou ficou na cozinha. Mário

Quintana diz que é preciso escrever muitas vezes para que se dê a impressão de que o texto foi escrito pela primeira vez. Sim, para que *se dê a impressão...* Porque se o sofrimento do escritor aparece, o seu texto terá o gosto de comida queimada.

É por isso que, a cada semana, sinto uma enorme tentação de parar de escrever. Para sofrer menos. Escrever é um cozinhar em que o cozinheiro se queima sempre.

Mas vale a pena ficar queimado pela alegria no rosto de quem come a comida que se fez.

ODISSEIA

"Quer ficar calmo? Respire suavemente diante da chama leve de uma vela que faz sossegadamente seu trabalho de luz."

Antes que tivesse lido esse conselho de Bachelard, eu já sabia do poder tranquilizante da pequena chama. Razão por que, entre os inúteis objetos de que me cerco (inúteis porque nada há que eu possa fazer com eles, além de sonhar...) – estão as velas. De vez em quando apago as luzes de minha sala e lá, em silêncio, eu as acordo do seu sono paciente e fiel. Acesas, elas se põem a repetir as mesmas coisas que me disseram sempre. Falam-me sobre a vida e sobre a morte. Ensinam-me sabedoria. Por isso eu me calo e escuto.

Percebo que a vela é discípula do crepúsculo, pois os dois me dizem as mesmas coisas. O próprio Bachelard percebeu isso: "A vela que se apaga é um sol que morre. A vela morre mesmo mais suavemente que o astro celeste. O pavio se curva e escurece. A chama tomou, na escuridão que a encerra, seu ópio. E a chama morre bem: ela morre adormecendo". Sob a luz cercada de escuridão os nossos pensamentos ficam diferentes.

Calmos. Calmos e belos. Belos e tristes. Você tem medo da tristeza? Seria melhor fazer amizade com ela. Ela é boa conselheira.

Andei relendo os textos sagrados e encontrei no livro de Eclesiastes esta estranha sugestão: "Melhor é ir à casa onde há luto do que ir à casa onde há banquete, pois naquele se vê o fim de todos os homens. Melhor é a mágoa do que o riso, porque com a tristeza do rosto se faz melhor o coração".

Fazer melhor o coração é ficar mais sábio. É sob a triste-bela luz crepuscular que a vida aparece com sua maior clareza. Percebemos então quais são as coisas que realmente importam...

O erudito filósofo Hegel sabia que a sabedoria é uma dádiva do crepúsculo. Ao final de sua obra *Filosofia do Direito*, num momento de poesia, disse que "a coruja de Minerva só abre as suas asas no lusco-fusco do fim de tarde". Mas, numa conclusão sem esperança, ele termina: "Quando é tarde demais. Quando não há mais nada a se fazer...". Para o filósofo desiludido, a sabedoria chega sempre atrasada. Os homens só se tornam sábios depois de passado o momento de viver.

Eu não concordo. Acho que é possível aprender a sabedoria do crepúsculo enquanto é tempo. É só por isso que penso e escrevo. Camus se tornou um discípulo do crepúsculo muito jovem ainda. Nos seus diários de juventude se encontra este lindo fragmento, escrito certamente ao entardecer: "Se, durante o dia, o voo dos pássaros parece sempre sem destino, à noite dir-se-ia reencontrar sempre uma finalidade. Voam para alguma coisa. Assim, talvez, na noite da vida...".

Mesmo os jovens podem aprender a lição dos pássaros. Ao crepúsculo o seu destino fica claro no seu voo. Não mais se dispersam pelo espaço. Retornam ao seu lugar. A nostalgia da luz crepuscular nos fala sobre o nosso destino. Caminhamos para a frente a fim de reencontrar aquilo que a dispersão da vida, com suas correrias e enganos, nos fez perder. Bachelard meditava sobre esse movimento da alma e sentia que era como se fosse uma nostalgia pelo lar: "No interior da familiaridade de onde se unem a vela e o castiçal, par indispensável numa residência dos velhos tempos, o que se deseja mesmo é retornar a uma casa para a qual voltaremos sempre, para sonhar e recordar". A casa para a qual voltaremos sempre...

Não gosto de filmes de ficção científica de viagens espaciais. Metálicos e eletrônicos demais para o meu gosto. Mas há uma exceção: *2001: Uma odisseia no espaço*. É a saga da viagem do homem pelo desconhecido distante, cada vez mais longe, até as estrelas, atraído por uma música encantada que de forma irresistível o chama do vazio, como as sereias no mar da *Odisseia* de Ulisses. Ao final de sua longa viagem, o viajante espacial chega ao seu destino: um lugar inesperado. Nem monstros, nem seres fabulosos, nem cenários desconhecidos. Descobre-se na copa de uma casa comum. Diante dele um homem, de costas, assentado à mesa, toma café da manhã. Cena comum, de todo dia, doméstica, como tantas que já vivera. O desconhecido, sem que uma só palavra seja dita, se volta e o encara. O rosto lhe é familiar. Ele o conhece. É ele mesmo, transformado pelas marcas dos anos. Viajou pelos espaços sem fim em busca do desconhecido distante. E agora percebe que o objeto de sua busca estava bem próximo, dentro do seu próprio corpo.

Um gesto brusco, e uma taça de cristal se espatifa no chão; a cena se altera: vê-se velho e agonizante, no leito de morte. Ouvem-se de novo os mesmos sons misteriosos que o haviam seduzido a viajar a tão longe. E a música se transforma em visão: um céu estrelado em que flutua, no meio das estrelas indiferentes, um feto, seus olhos enormes contemplando tudo, extasiados.

Odisseia é a longa viagem de Ulisses, de volta ao lar, para sua amada e o seu filho, como os pássaros ao crepúsculo. A *Odisseia no espaço* nos diz que para voltar ao lar é preciso deixar de ser adulto e ter de novo os olhos de criança... Assim, "ao final de todas as nossas explorações chegaremos de novo ao lugar de onde partimos e o conheceremos então pela primeira vez..." (Eliot).

"Que caminho tomar?", perguntava Castañeda a D. Juan, seu bruxo mestre. "O caminho não importa", ele respondia.

"Todos os caminhos conduzem ao mesmo fim. Escolhe, portanto, o caminho do amor." O fim da longa odisseia de retorno ao lar não se encontra no término da viagem, como conquista dos triunfos da profissão e do trabalho. Ele se encontra em todos os pontos do caminho. Mas isso somente aqueles que têm olhos de criança podem ver. Por isso amo a chama da vela e a luz do crepúsculo: fazem-me esquecer que sou adulto.

"ESTOU FICANDO LOUCA..."

Ela chegou e depois de uma breve indecisão disse: "Acho que estou ficando louca...".

Fiquei em silêncio, como o caçador que espera o voo da caça, pois esta é a minha profissão: sou um caçador de palavras.

Era certo que alguma mudança surpreendente ocorrera com os seus pensamentos. Acostumada com as palavras domesticadas e de voo curto que diariamente se moviam no seu mundo interior, ela deveria ter se assustado com o súbito surgimento de uma outra entidade de cuja existência jamais suspeitara, escondida que estivera ao abrigo da densa vegetação que marca o início da obscuridade da alma. Recebera a visita de um emissário do inconsciente: pensamentos que nunca tivera, incomuns, desconhecidos... Ela ignorava sua origem e nada sabia do seu destino. Descobria-se subitamente sem terra sólida sob seus pés, flutuando sobre o mistério. Era isso que me dizia com sua curta declaração: "Acho que estou ficando louca...".

Mas eu nada sabia nem da cor, nem da forma, nem dos movimentos dessa ave misteriosa que a assustava. Por isso fiquei quieto, à espera... Confesso que senti um calafrio de prazer. Aves engaioladas são sempre banais e podem ser compradas em qualquer lugar. Não lhes dedico qualquer atenção, pois delas os jornais e a tagarelice cotidiana estão cheios. Mas estas aves selvagens que se anunciam com o nome de *loucura* nascem do desconhecido e levam-nos a voar por mundos onde nunca estivemos.

Aí ela continuou, explicando o que acontecera: "Eu sou uma pessoa prática, descomplicada. Gosto de cozinhar. E o faço de forma competente, automática, sem pensar. Corto as cebolas, as cebolinhas, os tomates, e vou fazendo as coisas que devem ser feitas da forma como sempre fiz. Estas coisas e estes atos nunca foram merecedores de minha atenção. Enquanto cozinho, meus pensamentos se concentram no prato terminado e no prazer de comer com os amigos.

Mas, na semana passada, uma coisa estranha aconteceu. Peguei uma cebola, igual a todas as outras, cortei uma rodela como sempre fiz, e levei um susto. Percebi que nunca havia visto uma cebola. Como era isso possível? Já havia visto e cortado centenas de cebolas e agora era como se estivesse vendo a cebola pela primeira vez! Olhei para sua forma arredondada, senti a lisura de sua pele sob os meus dedos, vi seus anéis circulares, perfeitos, encaixados uns dentro dos outros, surpreendi-me com sua quase transparência, a luz se fragmentando em centenas de pontos em sua superfície brilhante. Meu automatismo prático se interrompeu. Deixei a faca sobre a pia e fiquei com a rodela de cebola na minha mão, encantada. Esqueci-me do prato que estava preparando. Naquele momento eu não queria fazer prato algum para o deleite da boca, pois havia encontrado uma outra forma de deleite: o deleite dos olhos. Meus olhos estavam comendo a rodela de cebola. E eu senti um prazer que nunca sentira antes.

Pela primeira vez na vida vi que a cebola era bonita. Se fosse pintora, pintaria uma cebola. Se fosse fotógrafa, fotografaria uma cebola... Minha cebola deixara de ser uma criatura do sacolão, à mercê de facas e maxilares mastigantes, e aparecia como criatura encantada, moradora do mundo da beleza, ao lado de joias e de obras de arte.

Ao acordar desse transe místico, em que vi a rodela de cebola como se fosse vitral de uma catedral gótica, fiquei assustada. Que coisa estranha deveria estar acontecendo com os meus olhos? Que transformação incomum deveria ter acontecido comigo mesma?

Se eu contasse aos meus amigos o que tinha acontecido eles não entenderiam. Pensariam que eu estava fazendo gozação. Ririam. Não poderiam compreender a minha alegria vendo a rodela de cebola. Eu tive de fazer silêncio sobre a minha experiência. Pensei, então, que estava ficando louca. Pois loucura deve ser isto: aquilo que a gente experimenta e sobre o que tem de se calar. Pois se a gente disser, os outros não entenderão e começarão a pensar que a gente tem um parafuso solto.

Mas o pior é que o que aconteceu com a cebola começou a acontecer com tudo. Meus olhos já não eram os mesmos. Estavam possuídos por uma potência psicodélica. Viam o que sempre tinham visto de um jeito como nunca tinham visto. Meus quadros ficaram diferentes. Meus objetos ficaram diferentes. Minhas plantas ficaram diferentes. E o mais perturbador era a felicidade boba que eu sentia em tudo. E eu pensei: 'Se eu continuar a me sentir feliz assim, todos os meus grandes planos irão por terra! Se eu me sentir feliz nas pequenas coisas, pararei de lutar para realizar as grandes coisas...'".

Ela estava assustada com a felicidade. Assustada ao perceber que a alegria mora muito perto. Basta saber ver. E eu lhe disse: "Você não está ficando louca. Você está ficando poeta...".

A experiência poética não é a de ver coisas grandiosas que ninguém mais vê. Ela é a experiência de ver o absolutamente banal, que está bem diante do nariz, sob uma luz diferente. Quando isso acontece, cada objeto cotidiano se transforma na entrada de um mundo encantado. E a gente se põe a viajar sem sair do lugar... Aquilo que procuramos se encontra bem debaixo dos nossos olhos.

Não é preciso fazer nada. Não é preciso viajar a lugares distantes. Coisa mais inútil haverá que a viagem, quando os olhos veem tudo em preto e branco? Não é preciso também realizar grandes proezas de luta e trabalho – pois a beleza já se encontra pronta ao alcance da mão... Dizia Blake: "Ver um mundo num grão de areia e um céu numa flor selvagem...".

Não, ela não estava ficando louca. Mas eu compreendi o seu espanto. Descobria-se poeta. E a loucura da poesia está precisamente nisto: na compreensão de que basta que a beleza more dentro dos olhos para que o mundo inteiro seja transfigurado por eles... A felicidade nasce de dentro do olhar que foi tocado pela poesia...

BOSTA DE VACA E POLÍTICA

Bastou um olhar para saber que ele havia aprontado alguma... O rosto era de homem maduro, mas o sorriso matreiro dizia que lá dentro morava um moleque que acaba de fazer uma arte. Arte nos dois sentidos: de moleque e de artista, pois era isso que ele era. Afinal, não existe muita diferença entre as duas coisas.

Tanto o moleque quanto o artista fazem o que a realidade proíbe. Fiquei quieto, à espera do que ele iria me dizer.

"Fui contratado para fazer a decoração de um espaço. Saí andando pelos rastros, olhando para cima, esperando que a inspiração me viesse do alto. Mas quem olha para cima não vê por que caminhos vão os pés, e o resultado foi que pisei numa bosta de vaca. Fiquei bravo, minha botina atolada naquela pasta verde malcheirosa. Mas logo minha braveza passou, pois meus olhos descobriram detalhes delicados naquela obra que uma displicente contração ao final do tubo digestivo de um ruminante produzira, sem que ele, para isso, tivesse precisado de qualquer inspiração especial.

Procurei por perto e logo descobri obras semelhantes, já secas pelo sol, o que permitia que delas se fizesse uma inspeção mais detalhada, ao ponto mesmo da manipulação, sem maiores perigos.

E foi assim agachado, meditando escatológica e contemplativamente sobre a estética da bosta de vaca, que a inspiração me chegou... Numa fração de segundo eu vi a obra de arte que eu iria produzir.

Catei um monte de bostas de vaca, as mais bonitas; levei-as cuidadosamente para o meu ateliê (havia sempre o perigo de que coisas tão frágeis pudessem se quebrar); pintei-as de dourado com um *spray*; amarrei-as em fios de náilon transparente; e assim, transformadas em móbiles, fiz com que flutuassem no espaço...

As pessoas passavam, paravam, olhavam e se encantavam. 'Quanta leveza', comentavam admiradas. Daí perguntavam-me sobre a técnica empregada na fabricação daqueles discos metálicos dourados. Mas, é claro, não disse nada; guardei o segredo..."

E caiu na risada, e eu também.

O riso é uma ejaculação repentina de alegria. E ele acontece quando o inesperado aparece à nossa frente e nos passa uma rasteira. Todo bom contador de piada sabe disso. É preciso que o final seja um final que ninguém esperava. É o inesperado gracioso que faz o corpo explodir no riso.

O riso revela um dos segredos da alma: a alma não gosta de marchar. Na marcha tudo é igual, previsível, feito em parada militar. A alma é bailarina que gosta mais é de dançar. É por isso que, no seu estado original (e isso é lição que a psicanálise nos ensina), a alma é uma criança brincalhona. É uma feiticeira que se deleita nas mais insólitas e proibidas transformações. É poeta que escreve, e o mundo nunca é mais o mesmo. É palhaço que se ri de que o mundo seja assim tão parecido com um circo...

E era isso que era o meu amigo naquele instante: menino, artista, dançarino, palhaço feiticeiro que põe bosta de vaca no chapéu e, abracadabra, do chapéu sai o ouro flutuante. Era este o segredo que os alquimistas queriam descobrir. Mas, coitados, procuraram no lugar errado, em laboratórios complicados, sem saber que essa magia qualquer um pode fazer.

Faz tempo que isso aconteceu, mas de repente recordei (palavra bonita esta, que quer dizer visitar de novo aquilo que o coração guardou...). Pois quem me fez voltar ao coração foram as crianças, os adolescentes, os moços, caminhando e cantando e seguindo a canção, eu nem imaginava que ainda iria ver isso de novo, roupa preta no corpo, cor de luto, do tenebroso, do escabroso, fezes, excrementos, quem terá sido aquele que os fez vestir assim, mas os rostos diziam diferente, caras pintadas, alegria, esperança, piada, riso...

Às vezes é preciso magia muito forte para fazer despertar a Bela Adormecida! Às vezes é preciso muita bosta para que a alma insensível acorde do seu sono e diga: "Eu não sou isto! Eu sou Beleza! Sou móbile dourado flutuante! Sou flor!".

Em nada semelhantes ao que fizeram os partidos com suas bandeiras, seus dedos em riste, suas goelas rapadas, suas palavras de ordem, suas ordens em palavras, as demonstrações dos jovens foram puras explosões de vida, risos, ejaculações de alegria ante o inesperado, o inesperado sendo que a Beleza ainda existe a despeito dos excrementos malcheirosos saídos do fim do tubo digestivo insaciável dos poderosos.

Neruda disse, certa vez, que os poetas (estes maus políticos) iniciaram a revolução da alegria. Pois eu acho que é isso que os jovens estão anunciando: que do meio da merda (perdão pela palavra! Mas nenhuma outra faria justiça à realidade!) é possível que brote uma flor. Pois, como todo mundo sabe, bosta de vaca, depois de bem curtida, é um bom esterco. Façamos um jardim com os excrementos dos poderosos...

Especificações técnicas

Fonte: Gatineau 11,5 p
Entrelinha: 17 p
Papel (miolo): Off-white 80 g/m²
Papel (capa): Cartão 250 g/m²